Skulpturlandskap Nordland

ARTSCAPE NORDLAND

Maaretta Jaukkuri
Foto / Photo: Werner Zellien

FORLAGET GEELMUYDEN.KIESE

Utgitt første gang: 1999
Foto: Werner Zellien
unntatt:
Trym Ivar Bergsmo: Lødingen & Sortland
David Kinsella: Vefsn & Vega
Magnar Solbakk: Brønnøy

Oversettelse til engelsk: Michael Garner
Oversettelse til norsk: Jan-Ove Steihaug, Sonja Wiik

Grafisk form: Subtopia a.s (www.subtopia.no)
Boken er satt med AdobeMinion 9,5/13 pkt.
og TradeGothic BoldTwo7,5/13 pkt.
Papir: 150g Multiart Silk (blokk) 300g Lomond Silk (omslag)
Bind: PUR-lim
Skanning og trykk: a.s Joh. Nordahls Trykkeri
Andre opplag
ISBN 82-7547-029-3

Skulpturlandskap Nordland er finansiert av
Nordland fylkeskommune, de deltakende kommuner,
Kulturdepartementet, Landsdelsutvalget for Nord-Norge og Nord-Trøndelag

Følgende sponsorer har i tillegg bidratt i finansieringen:
SAS, Widerøe, UNI Storebrand, Telenor, Alcatel og OVDS

Denne boken er utgitt med støtte fra Norsk Kulturråd
og Utenriksdepartementet.

First edition: 1999
Photo: Werner Zellien
Except:
Trym Ivar Bergsmo: Lødingen & Sortland
David Kinsella: Vefsn & Vega
Magnar Solbakk: Brønnøy

English translation: Michael Garner
Norwegian translation: Jan-Ove Steihaug, Sonja Wiik

Design: Subtopia a.s (www.subtopia.no)
Main typefaces: AdobeMinion 9,5/13 pkt.
and TradeGothic BoldTwo7,5/13 pkt.
Paper: 150g Multiart Silk and 300g Lomond Silk
Binding: PUR-glue
Scanning and printing: a.s Joh. Nordahls Trykkeri
Second printing
ISBN 82-7547-029-3

Artscape Nordland is financed by Nordland County and the participating municipalities, Kulturdepartementet, Landsdelsutvalget for Nord-Norge and Nord-Trøndelag

The following sponsors have contributed to the financing of Artscape Nordland: SAS, Widerøe, UNI Storebrand, Telenor, Alcatel and OVDS

This book is published with support from Norsk Kulturråd and Utenriksdepartementet.

Kunst finner sted

Art takes place

Skulpturlandskap Nordland er blitt til i dialog med landskapet, en dialog som videreføres i møtet mellom skulpturen, landskapet omkring og betrakteren. Skulpturen i landskapet skaper et nytt sted som man kan besøke, se og reflektere over. Men stedet er ikke bare *blitt* til, det fortsetter å *bli* til - i regi av lyset, årstidene og tiden mer generelt.

Skulpturene i prosjektet reflekterer skulpturkunstens utvikling gjennom de tre siste tiår. I løpet av denne perioden har man fått en ny forståelse av

Artscape Nordland **has come about in a dialogue with the landscape, a dialogue that is carried on in the encounter between the sculpture, the landscape surrounding it and the spectator. The sculpture set in the landscape creates a new place, one that we can visit, look at and reflect on. But this place has not simply come into existence, it continues to come into existence - under the influence of the light, the seasons and time more generally.**

The sculptures in the project reflect the development of the art of sculpture over the last three decades. During

kunstverket: Betydningen er ikke bare avhengig av verket som objekt, den oppstår i like høy grad innenfor det visuelle feltet som skulpturen aktiviserer på bred front: form, materiale, skala, rytme, farge og motiv.

Skulpturene er invitasjoner til opplevelser, forslag til kommunikasjon. Som betraktere befinner vi oss i en fremtidig verden som vi selv er med på å skape ved hjelp av de assosiasjoner kunstverkene skaper i oss.

Begrepsparet kultur og natur diskuteres mye i dag. Disse skulpturene i det vakre nordlandske landskapet inngår i denne diskusjonen. De uttrykker imidlertid ikke noe entydig dualistisk forhold basert på enkle motsetninger, men avspeiler heller ulike måter å forholde seg kunstnerisk til naturen på - innenfor kulturen. Disse møtene er ikke styrt av noen fastspikret agenda, bare av naturens liv og rytme. Det alene gjør disse kunstverkene til noe ganske annet enn tradisjonelle monumenter.

Samtidig avspeiler den enkelte kunstners valg forskjellige måter å betrakte naturen på. Sånn sett oppviser prosjektet stor variasjon mellom de ulike skulpturer: Man kan dyrke naturen, se den som sjelens speil – slik man ofte gjør i Norden – beundre landskapets skjønnhet og storslagenhet, analysere dets ulike elementer, eller man kan synliggjøre naturens egne prosesser, og legge vekt på å skape en visuell dialog mellom kunstverket og naturscenen omkring. Uansett er ikke valgene tilfeldige. Natursynet er kulturbundet. Det gjelder kunstneren, men det gjelder også betrakteren. Vår forståelse av landskapet, og den symbolske betydning vi tillegger det, har vi med oss som en usynlig modell vi ser naturen gjennom når vi betrakter disse 33 kunstverkene av kunstnere fra 18 forskjellige land. Disse trådene løper

this period, a new understanding of the work of art has emerged: Its meaning does not depend solely on the work as an object, it arises to an equal extent within the visual field that a sculpture activates on a broad front: form, material, scale, rhythm, colour and subject matter.

The sculptures are invitations to experience, proposals for communication. As spectators, we find ourselves in a projected future world that we ourselves will help create with the aid of the associations that the artworks evoke in us.

The theme of culture versus nature is discussed a great deal nowadays. These sculptures in the beautiful Nordland landscape are a contribution to that discussion. Yet, they do not express some unambiguous relationship based on simple oppositions, but rather mirror various ways of relating artistically to nature - from within culture. There is no set agenda underlying these encounters, other than the artists' ideas and the underlying conditions created by nature. This in itself makes these artworks quite different from traditional monumental art.

At the same time, it reflects the individual artist's choice of different ways of viewing nature. Seen in this way, the project reveals great variations between the diverse sculptures: we can cultivate nature, see it as a mirror of the soul – as is often the case in the Nordic countries – admire the beauty and grandeur of the landscape, analyse its diverse elements, or we can make visible nature's own processes, and stress the importance of establishing a visual dialogue between the artwork and its natural setting. In whatever form this is expressed, the choices made are not haphazard. Conceptions of nature are culturally dependent. This applies to the artist, but also to the spectator. We carry our understanding of the landscape, and the symbolic significance that we attach to it, as an unseen model through which we see nature when we view these 33 artworks by artists from 18 different countries.

Uten tittel

Untitled

Bård Breivik

gjennom hele prosjektet slik veven holder trådene sammen. Viktigere enn den kulturelle bakgrunn er allikevel kunstnerens eget utsagn - som et budskap fra kunstner til betrakter - med verket som medium.

Skulpturlandskap Nordland er ingen tradisjonell skulpturpark. Det er store avstander mellom de ulike kunstverkene. Boken har derfor to viktige funksjoner. Den fører oss helt konkret til skulpturene og de nye stedene som har oppstått i og med kunstens tilstedeværelse, og den dokumenterer kunstsamlingen som et helhetlig prosjekt. Vi møter her en internasjonal samling av samtidskulptur fra 90-tallet, som har tatt opp i seg så vel den store tradisjonen innenfor skulpturkunsten, som de forandringer denne kunstformen har vært igjennom siden begynnelsen av 60-tallet. Men det forklarer ikke det unike ved skulpturlandskapet i Nordland. Den viktigste grunnen for at disse skulpturene finnes i Nordlands landskap, er at det var her de ble til - i møtet mellom landskap og kunstner. Og det er i de tilsvarende møtene mellom landskapet, skulpturen og betrakteren at betydning gjenkjennes og gjenskapes. Det er i de øyeblikk at kunst finner sted.

Maaretta Jaukkuri

These threads run through the entire project, like the weft that holds the entire fabric together. Nevertheless, more important than the cultural background is the artist's own individual statement - a message from artist to spectator – using the work as medium. *Artscape Nordland* is no traditional sculpture park. Great distances separate the individual artworks. This book thus has two important functions. It quite concretely leads us to the sculptures and to the new places that have emerged through the presence of the art, and it documents this art collection as a coherent project. What we have here is an international collection of contemporary sculpture from the 1990s, which has absorbed both the great tradition within the art of sculpture and the changes that this artform has undergone since the beginning of the 1960s.

But this does not explain the uniqueness of the sculpture landscape in Nordland. The most important reason for these sculptures to be here in the Nordland landscape is that this is where they came into existence – in a coming together of landscape and works of art. And it is in the corresponding encounters between the landscape, sculpture and the spectator that the meaning is recognised and re-created. It is in these moments that art takes place.

Maaretta Jaukkuri

Epitaph

Epitaph

Toshikatsu Endo

•Andøy
•Øksnes
•Bø
•Sortland
•Skånland *(Troms fylke)*
•Evenes
•Hadsel
•Tjeldsund
•Vestvågøy
•Lødingen
•Ballangen
•Narvik
•Vågan
•Flakstad
•Hamarøy
•Tysfjord
•Moskenes
•Steigen
•Værøy
•Sørfold
•Bodø
•Røst
•Fauske
•Gildeskål
•Skjerstad
•Beiarn
•Saltdal
•Meløy
•Rodøy
•Træna
•Lurøy
•Rana
•Dønna
•Nesna
•Herøy
•Leirfjord
•Hemnes
•Alstahaug
•Vefsn
•Vega
•Vevelstad
•Brønnøy
•Hattfjelldal
•Grane
•Sømna
•Bindal

Innhold / Contents

Sissel Tolaas, Norge / Norway

Vindenes hus

House of Winds

1994
«Vindenes hus»
Høyde 485 cm

1994
"House of Winds"
Height 485 cm

SEPTENTRIO
siccus magis
frigid minus
siccus magis
calidus minus

I sin prosjektbeskrivelse for *Vindenes hus* sier Sissel Tolaas at hun ønsker å velge det stedet i Alstahaug hvor været er på sitt mest ekstreme. Hun ønsket å lage et verk som bruker naturelementene, men som samtidig også blir brukt av dem.

Skulpturen kan minne oss om et anonymt laboratorium, et sted hvor det foregår vitenskapelig aktivitet. Propellene som befinner seg i åpninger i den buede veggen roterer ut fra vindens hastighet. Denne bevegelsen skapt av vindenergien, sammen med inskripsjonene på latin hvor det er navn på de forskjellige vinder og angivelsen av kompassretningene, definerer et felt av assosiasjoner hvor vitenskapelige systemer brukes som kunstnerisk uttrykk. Vitenskap møter her kunstens streben etter skjønnhet, etter å gjøre ting sansbare og konkret tilstedeværende i våre liv.

In the project description for the *House of Winds,* Sissel Tolaas says that she wanted to choose a geographical site in Alstahaug where the weather conditions would be at their most extreme. She wanted to create a work of art which, while using the elements, would itself be used by them.

The House of Winds reminds us of anonymous laboratories, functional places for scientific research. The propellers in the openings in the walls of the round building rotate at the speed of the wind. The movement created by the wind energy, the Latin inscriptions of the names of the winds, together with the points of the compass, lead us into a field of references where the categorising systems of science are applied in artistic expression. Science and scientific thinking meet the endeavour of art to make things beautiful, visible and concretely present in our lives.

MERIDIES
ORIENS
calidus magis
humidus minus
frigidus minus
humidus magis

MERIDIES
EURO AUSTER
AUSTER
calidus
humidus
AFFRICUS
frigidus minus
humidus magis
SUBSOLANUS

Raffael Rheinsberg, Tyskland / Germany

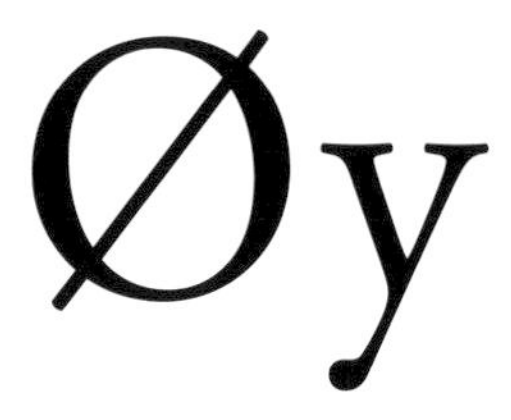

Øymuseet

Island Museum

1992
«Øymuseet»

1992
"Island Museum"

Øymuseet huser en samling av gjenstander kunstneren fant på Andøya i august 1992. Samlingen blir stilt ut i en gammel garasje ved Polarmuseet på Andenes.

Museet er slett ikke noe vanlig museum med nøyaktig dokumenterte historiske perioder og geografiske områder. I stedet for vitenskapelige kriterier er valget av objekter estetisk begrunnet ut fra skjønnhet og overraskelse. Installeringen av gjenstandene er også gjort med skjønnheten som rettesnor.

Raffael Rheinsbergs kunst er blitt beskrevet som en «hverdagens arkeologi». Han viser oss de tingene vi bruker i arbeid og fritid, og holder dermed opp et speil som forteller oss hvordan vi lever.

The *Island Museum* houses a collection of objects found by the artist on the island of Andøy in August 1992. The collection is exhibited in an old garage building at the Polar Museum on Andenes.

The Island Museum is no ordinary museum for careful documentation of cultural periods and geographic areas. Instead of a scientific categorisation, the choice of objects in the collection is based on the aesthetic criteria of beauty and surprise. The idea of beauty has also formed the guideline for the installation of the objects in the museum.

Raffael Rheinsberg's art has been described as the "archaeology of everyday life". By showing us the objects we use in our work and leisure, he holds up a mirror that tells about the way we live.

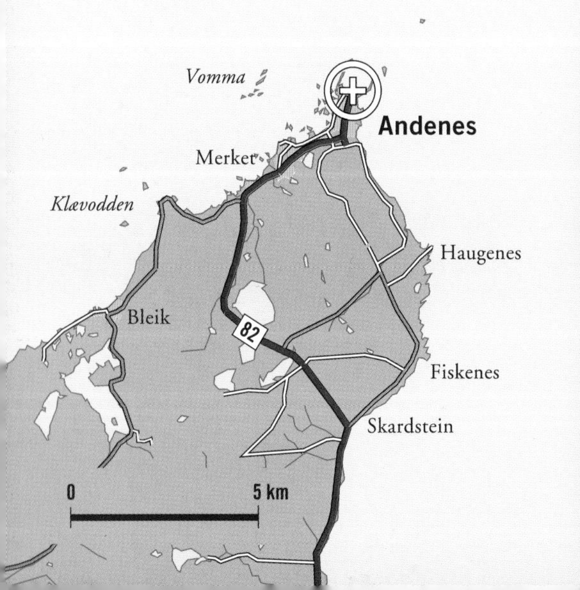

Inge Mahn, Tyskland / Germany

Himmel på jord

Heaven on Earth

1993
«Himmel på jord»
En portal, to sfærer av granitt og
sirkel gravert på berg
Portalens høyde 250 cm
Sfærenes diameter 65,5 cm
og 100 cm
Sirkelens diameter 800 cm

1993
"Heaven on Earth"
Gate, two spheres of granite
and a circle engraved on a cliff
Height of gate 250 cm
diameter of spheres 65.5 cm
and 100 cm
diameter of circle 800 cm

Vår forståelse av tid har å gjøre med hvordan vi sanser kronologisk tid, sekundene som uopphørlig tikker, men den er også basert på tid som et avgjørende element i hvordan vi konstruerer våre minner. I denne siste betydningen har tid betydning for hvordan vi forteller historier eller gjenskaper dem ut fra gitte symboler.

Ritualene, symbolene og tegnene som uttrykker denne forståelsen har en felles, nesten universell karakter både formalt og i sin grafiske fremtreden. Åpenheten i slike kjente symboler blir oversatt til spesifikke erfaringer eller erindringer ved hjelp av et gitt sted og tilstedeværelsen av en betrakter. Det individuelle her og nå blir en del av det tidløst symbolske.

Scenen Inge Mahn fremkaller i sin *Himmel på jord* gir en følelse av et forvandlingens sted, hvor man er på terskelen til noe nytt.

Our definition of time concerns both the way we perceive ongoing time, and time as the binding element in the construction of our memories. Time understood in the latter sense represents the way to tell stories or to re-create them on the basis of given symbols.

The rituals, symbols and signs marking this understanding have a shared, almost universal character in terms of their formal appearance and graphic presentation. The openness of these well-known symbols is translated into specific experiences or recollections by means of the chosen setting and the presence of the viewer. The individual presence is reinfused into this timeless symbolic setting.

The scene evoked by Inge Mahn's sculpture *Heaven on Earth,* creates a feeling of a place of transformation, of something that can change in one's state of being, we are on the threshold of something new.

Kari Cavén, Finland / Finland

Idag, imorgen, alltid

Today, Tomorrow, Forever

1992
«Idag, imorgen, alltid»
Ved, tre, stein
Tre deler
Høyde 210 cm

1992
"Today, Tomorrow, Forever"
Firewood, wood, stone
three parts
Height 210 cm

Kari Cavéns verk består av tre elementer som alle er laget av forskjellige materialer. Hvert materiale - ved, tre og stein - har forskjellig tidssykluser i seg. Det er som om en tidsmåler er satt inn i landskapet. Hvert element er like høyt, og deres sirkulære indre er stjerneformet. De to skulpturene av tre vil etterhvert forsvinne, men antagelig leve videre i lokalsamfunnets erindring. Ved siden av deres tidsmessige varighet kan materialene også assosieres med forskjellige andre verdier og verdisett.

I Kari Cavéns verk blir materialer, måten de behandles på, og også objekter gitt ny betydning. De blir oppslagsord i en fysisk ordbok som brukes til å formulere visuelle setninger.

Kari Cavén's sculpture consists of three elements, each of which is made of a different material. Each of them - firewood, wood and stone - have different lifetimes, which makes the sculpture into a kind of time-measuring device set into the landscape. Each part of the sculpture is of equal height, and their circular inner structures are star-shaped. In time, the two wooden sculptures will disappear, but they will most likely live on as memories in the community. Besides their duration, the materials can be associated with different values and sets of values.

For Kari Cavén, materials, ways of treating them, as well as objects, often taken on a new significance, becoming entries in a kind of tangible dictionary which can be used to formulate visual sentences.

Tony Cragg, England / England

Uten tittel

Untitled

1993
«Uten tittel»
Granitt; syv deler
Høyder 97 cm
97 cm
158 cm
162 cm
97 cm
203 cm og 125 cm

1993
"Untitled"
Granite; seven parts
Heights 97 cm
97 cm
158 cm
162 cm
97 cm
203 cm and 125 cm

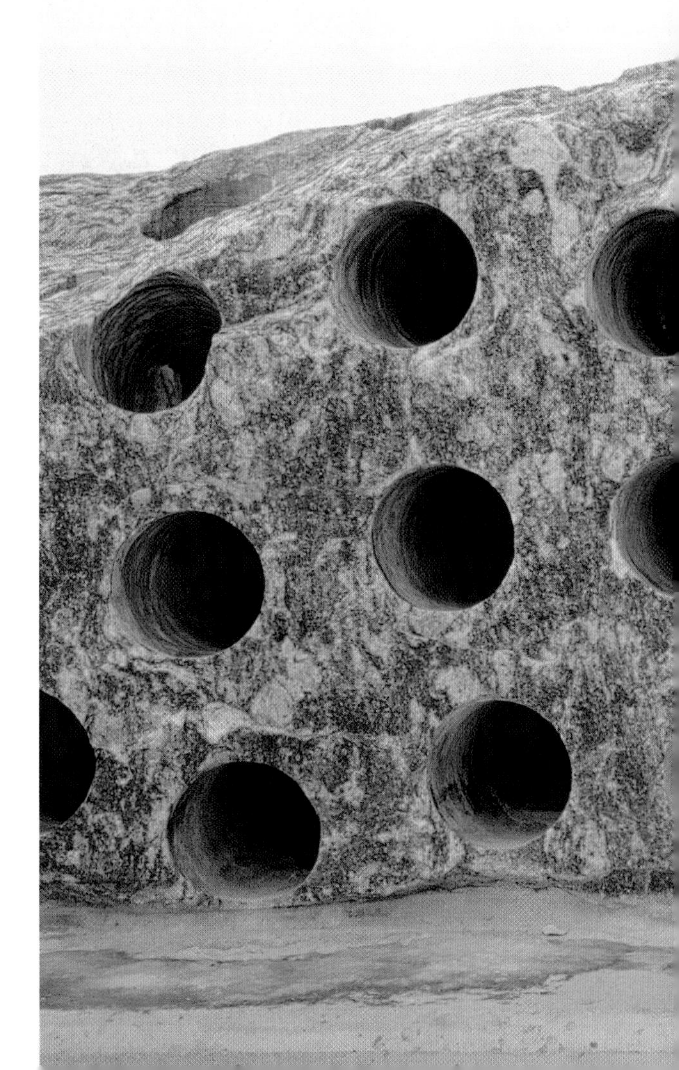

Tony Cragg valgte moloen i Bodø som stedet for sin skulptur. Dette har med hans interesse for grenseområder å gjøre. Moloen er et sted hvor sjø og land møtes, natur og bebyggelse. Verket består av syv steiner, skulpturer som hver synes å bære på en egen historie. Utgangspunktet for Craggs skulpturer er ofte at materialene omkring oss bærer i seg mange fortellinger, og at de reflekterer hvordan vår livsoppfatning blir gjort synlig i det som omgir oss.

Skulpturen er et møte mellom natur og teknologi, natur og kultur. På den ene siden kan vi se en kritikk av modernitetens forståelse av naturen som ressurs for velstand og materielle goder. På den andre siden kan vi i disse syv «hellige» steinene se en kobling mellom det sublime og det absurde, det opphøyde og det jordiske. Samtidig blir betrakteren spart for det selvhøytidelige i tradisjonell monumentalkunst.

Tony Cragg chose the breakwater in the centre of Bodø as the site for his sculpture. This choice reflects the artist's interest in boundaries. The breakwater serves as a point of connection between the sea and the land, between nature and human settlements. The sculpture consists of seven stones, each of which seems to have a story or a history connected to its appearance. The materials around us bear many stories within them, and they also reflect the way that our thinking is made visible in the shapes of the world.

The sculpture itself represents a meeting between nature and technology, or between nature and culture. On the one hand, we can read in it a critique of the Modernist view of nature as a resource for our well-being. On the other hand, we can think of the seven 'holy' stones in the context of culture, and detect in them a mingling of the sublime with the absurd, or of the exalted with the mundane. Simultaneously, the viewer is freed of the solemnity of traditional monumental art.

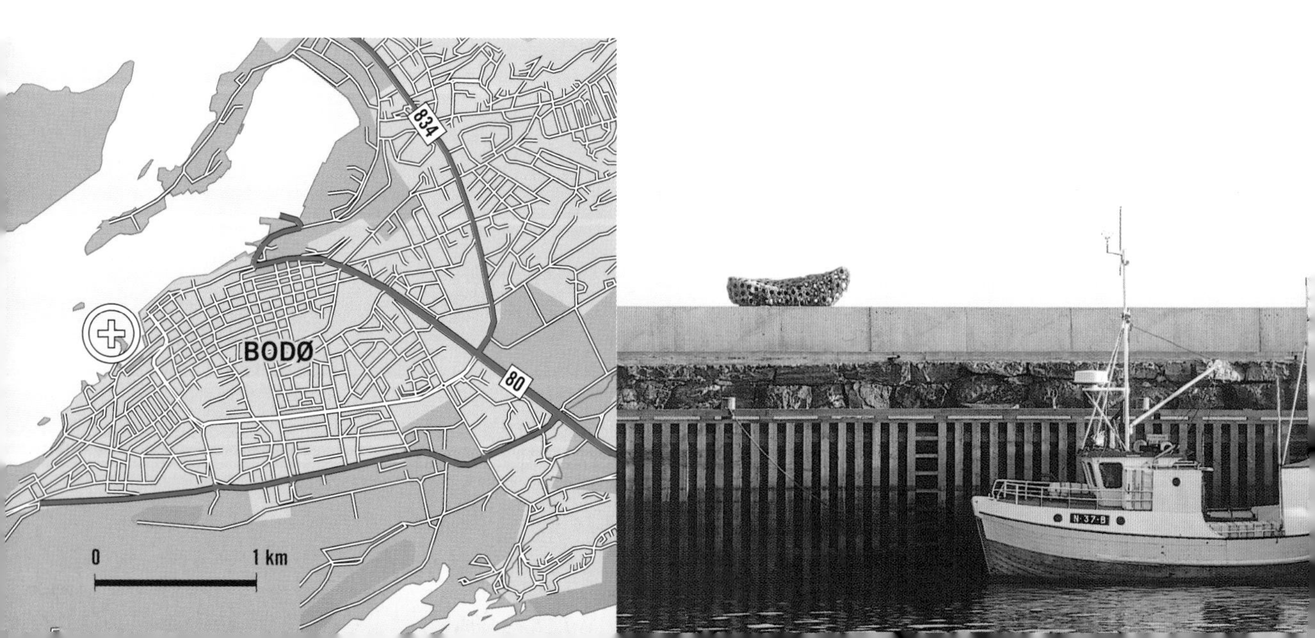

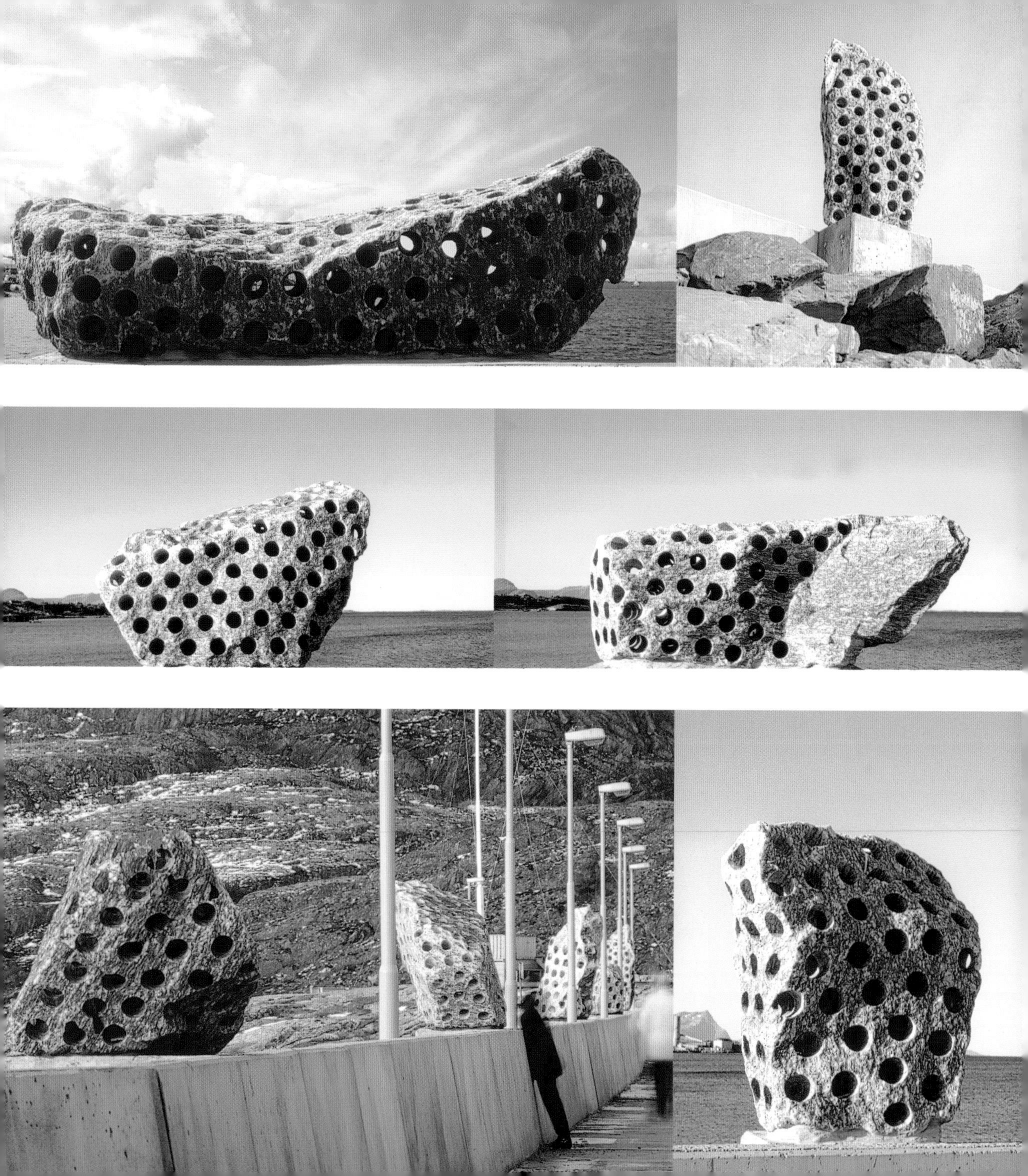

Erik Dietman, Sverige-Frankrike / Sweden-France

Steinar Breiflabb

Steinar Breiflabb

1997
«Steinar Breiflabb»
Stein, trær, båt
Lengde 7000 cm
høyde 1000 cm
bredde 2000 cm
Steinar Breiflabb i Brønnøysund har tre brødre: Pierre Baudroie i Frankrike, Stonie Rockwell-Monkfish i England og Adolf Seeteufel i Tyskland
Familiefaren heter Lophius Piscatorius

1997
"Steinar Breiflabb"
Stone, trees and a boat
Length 7000 cm
height 1000 cm
width 2000 cm
***Steinar Breiflabb* has three brothers: Pierre Baudroie in France, Stonie Rockwell-Monkfish in England and Adolf Seeteufel in Germany**
The father of the family is called Lophius Piscatorius

Erik Dietmans skulptur - den lille øya forvandlet til en fisk, ved innseilingen til Brønnøysund - er et kunstverk som kunne betegnes som «land art» i sin måte å bruke en geografisk formasjon som utgangspunkt på. Samtidig snur dette kunstverket alle vanlige tanker om denne kunstformen på hodet. Der «land art» oftest har vært rettet mot tanken om kunst som objekt, gjør Dietman det motsatte; han forvandler geografien til figur, landskapet til objekt.

Dette er karakteristisk for Dietmans måte å tenke på. Han stiller hele tiden spørsmål ved vår måte å tenke, skape kategorier, regler eller system på. Hans budskap synes å være eventyret som den visuelle verden, men også språket, kan tilby oss om vi bare tør se uten forutinntatte meninger. Dietman ser på verden og kulturen lekent og med humor. Det virker som han sikter mot en frigjørelse av fantasien, selv om denne gleden er kompleks og ofte også innbefatter mørke innslag.

Erik Dietman's sculpture - the little island transformed into a fish at the seaward approach to Brønnøysund - is a piece of art that could be called 'land art' for the way is uses a geographical formation as its starting point. At the same time, this artwork turns all our normal ideas about land art upside down. Where 'land art' has usually been directed at the notion of art as object, Dietman does the opposite: he transforms geography into figures, landscape into objects.

This is characteristic of Dietman's way of thinking. He is constantly asking questions about our ways of thinking, and of creating categories, rules or systems. His message seems to be the adventure that the entire visual world, but also language, can offer us, if we only dare to look without preconceived notions. Dietman looks at the world and at culture playfully and with humour. It seems as though his objective is a liberation of the imagination and joy in living, even if this joy is also complex and frequently has its darker sides.

Kjell Erik Killi Olsen, Norge / Norway

Mannen fra havet

The Man from the Sea

1994
«Mannen fra havet»
Støpejern, krystall
Høyde 430 cm

1994
"The Man from the Sea"
Cast iron, crystal
Height 430 cm

Det har vært sagt at myter er som usynlige tråder som vever samfunnet sammen. Samtidig er de fortellinger som forsiktig hjelper oss til å forstå den situasjonen vi lever i. Killi Olsens skulptur, *Mannen fra havet,* gjenspeiler begge disse definisjonene av myte, samtidig som den skaper en ny myte. Vi er i ferd med å spinne en historie om en mann som har forlatt havet og nå står på fast grunn. I hånden holder han en obelisk-formet krystall, som en offergave - har kunstneren hevdet - til sitt tidligere bosted.

Mannens form er fortsatt merket av hans tidligere eksistens. Han har også en liten åpning i ryggen, en nisje for familien. De nye hovedpersonene i hans jordiske liv?

Plasseringen av skulpturen nær fjorden understreker mannens hyllest til sjøen. Man kan se bebyggelsen i bakgrunnen. Stedets materialiserte hukommelse finner man i det lokale museet som ligger i nærheten av skulpturen. Myte og erindring, de gitte og de skapte livsbetingelsene møtes her.

It has been said that myths are like invisible threads that weave societies together. At the same time they are also stories which gently help us to understand the reality of the situation we are living in. Killi Olsen's sculpture *The Man from the Sea* reflects both of these definitions of myth, while also creating a new myth. We find ourselves spinning a story of a man who has left the sea and trodden on firm ground, holding an obelisk-shaped crystal in his hand, as an offering - the artist has suggested - to his former abode.

The shape of the man still bears the marks of its previous state of existence. There is also a little opening in his back; a niche for the family. The new protagonists of his earthly existence?

The site of the sculpture near the fjord focuses on the man's tribute to the sea. The local community with its built-up milieu is seen in the background. The materialised memories of the community are gathered in the local museum, which is near the site of the sculpture. Myth and memory, the given and the acquired conditions for living, meet in this site.

Bjørn Nørgaard, Danmark / Denmark

Steinhuset

Stone House

1995
«Steinhuset»
Granitt
Høyde 550 cm

1995
"Stone House"
Granite
Height 550 cm

Bjørn Nørgaards skulptur har sitt formale utgangspunkt i kirke- og tempelarkitektur. Formen ligner norske stavkirker fra tidlig middelalder, men henviser også til andre kulturers sakralarkitektur. Stavkirkene var bygget av tre, men her har kunstneren anvendt den lokale granitten som byggemateriale.

Byggverket er ikke en kirke. Det er et bilde av en kirke eller et tempel. Selv om det minner om visse symbolske modeller fra kirkearkitekturen, og til tross for at betrakteren ikke bare er tilbudt en visuell opplevelse, men dessuten kan gå fysisk inn i det beskyttede rommet som skulpturen skaper med sine steinvegger.

Skulpturens indre vegger er dekket med tegninger. Kunstneren sier selv at de figurene som er tegnet på veggen i sør, bor i dette huset, mens de som er avbildet på nordveggen, er hjemløse, urolige sjeler.

Kjernen i skulpturen synes å være rommet, som gir mulighet til et stille øyeblikk av ettertanke, en stund da vi kan veve våre fortellinger inn i en større tidsgobelin.

Bjørn Nørgaard's *Stone House* has its formal roots in church and temple architecture. Its shape resembles that of Norwegian 'stave churches' from the early Middle Ages, but also bears references to the sacral architecture of other cultures. The stave churches were made of wood, but here the local granite has been used.

The building is not a church, it is a picture of a church or a temple, even if it echoes certain symbolic models from church architectures, and despite the fact that the viewer is given not only a visual experience, but can also enter physically into the protective space created by the sculpture and its stone walls.

The interior walls of the sculpture are covered with drawings. Nørgaard himself has said that the figures drawn on the southern wall live in the building while those depicted on the northern wall are homeless, restless souls.

The heart of the sculpture seems to be its interior space, which provides us with an opportunity for a quiet moment of contemplation, a time when we can weave our own narratives into a larger time tapestry.

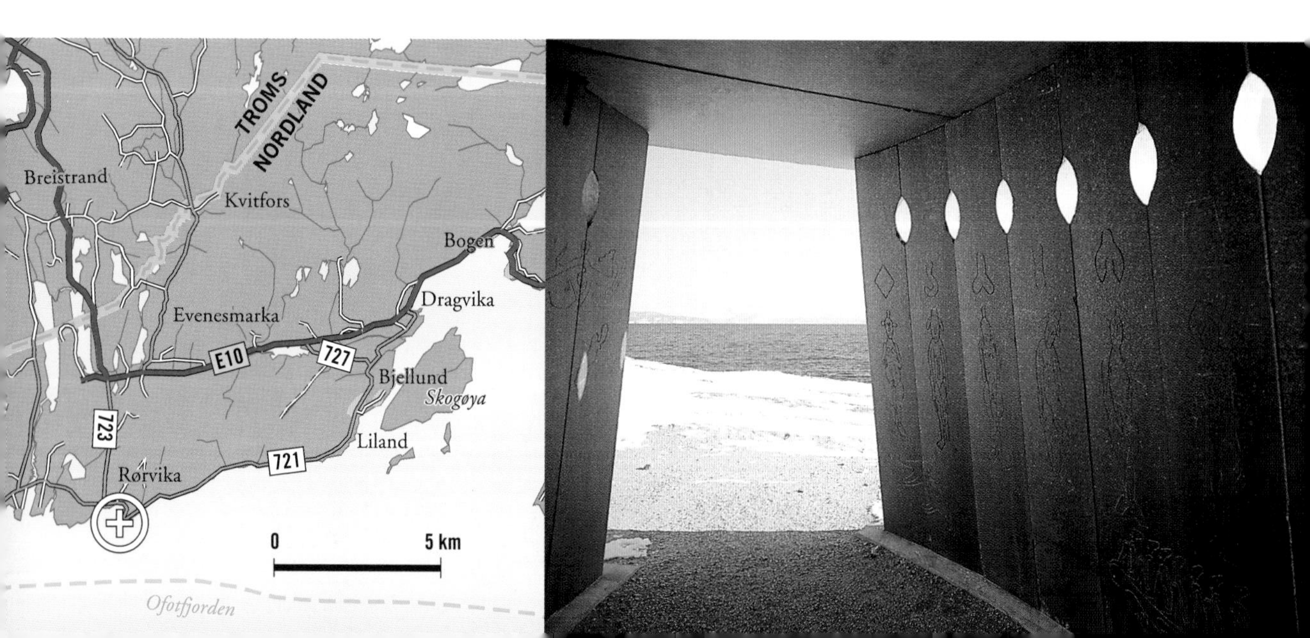

Per Barclay, Norge / Norway

Uten tittel

Untitled

1993
«Uten tittel»
Marmor, aluminium
Båtnaust
Steinblokkenes dimensjoner:
120 x 300 x 40 cm

1993
"Untitled"
Marble, aluminium
Boat shed
Stone plates dimensions:
120 x 300 x 40 cm

To flate steinblokker hviler på metallstrukturer som står i fjære inne i fjorden, vendt mot båtnaustet på stranden. Vi inviteres inn på en skueplass hvor vi kan kombinere skulpturelle elementer med stedets karakter og de forandringer som finner sted. Tidevannet gjør at vannstanden i fjorden skifter, slik at metallstrukturene vekselsvis skjules og vises. Stedet hører til det lokale historiske museet og er på den måten del av den referanserammen som det gir.

Jakten på mening i Per Barclays kunst innebærer stadig å spore symbolsk betydning innenfor et felt av mulige assosiasjoner. Igjen og igjen henvender vi oss til de skulpturelle elementene i et forsøk på å etablere den meningen vi nettopp følte vi hadde grepet, eller symbolet vi trodde vi hadde forstått. På samme måten gir de skiftende betingelsene i naturen omkring oss aldri noen garanti for at vi vil se skulpturen igjen slik vi en gang så og husket den.

There are two stone plates resting on metal structures standing in the waters of the fjord and facing the boat shed on the shore. A scene is created for us to look at, and to combine the sculptural elements with the found site and the changing surroundings. The tidal waters change the height of the fjord, alternately revealing and covering over the metal structures. The whole site of the artwork is internalised in the local, historical museum, thus sharing its framework of references.

The search for meaning in Per Barclay's art is an ongoing process of trying to locate a symbolic significance within a field of possible associations. There is a recurring return to the forms of sculpture, in attempts at re-establishing the sense that we were sure we had just grasped, or a symbol that we thought we had understood. In the same way, the constant changes in the nature around the sculpture never offer us a guarantee of being able to see the sculpture again in the same way we saw and remembered it.

Toshikatsu Endo, Japan / Japan

Epitaph

Epitaph

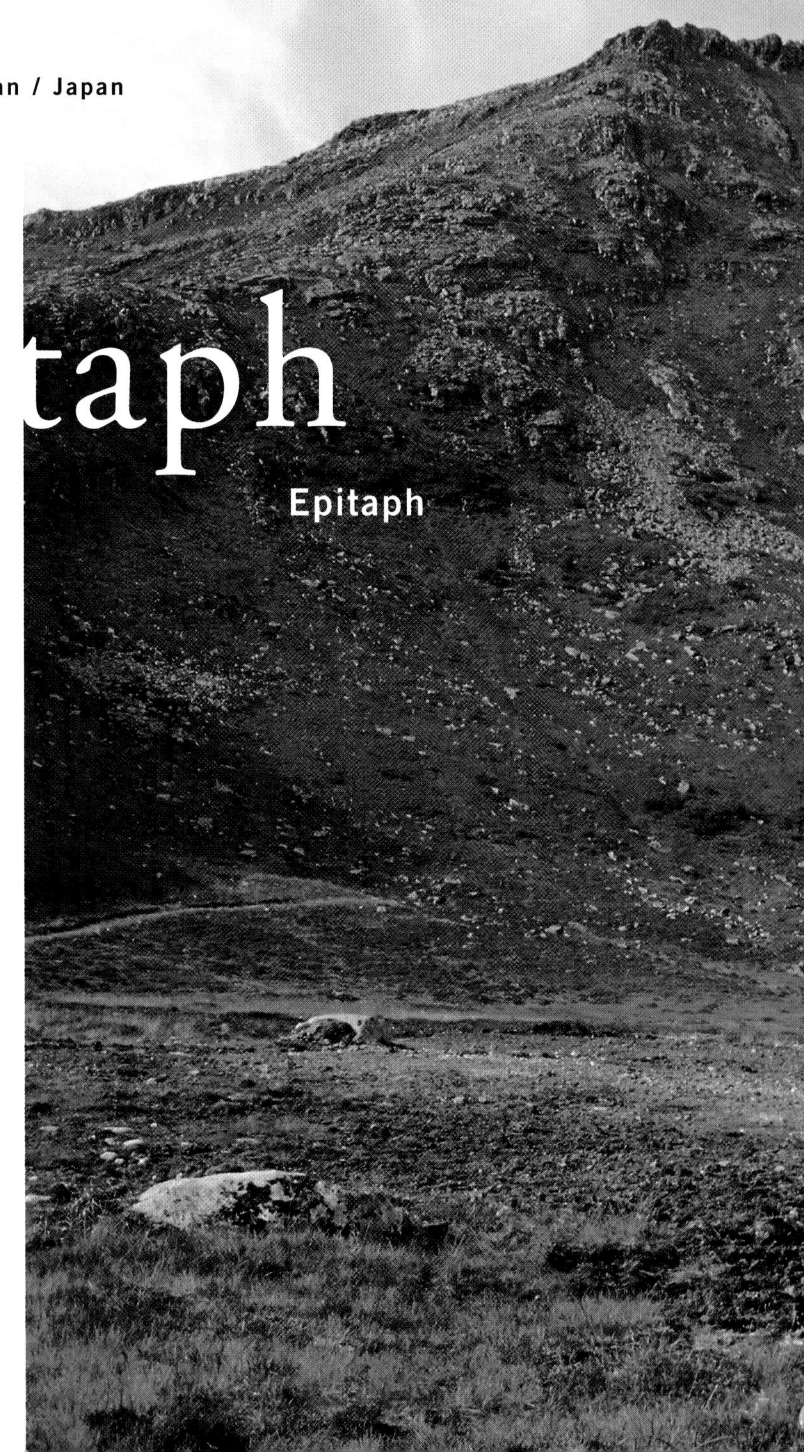

1998
«Epitaph»
Stein
Diameter 805 cm
Høyde 500 cm

1998
"Epitaph"
Stone
Diameter 850 cm
Height 500 cm

Toshikatsu Endos skulpturkunst tilhører både den japanske og den vestlige tradisjonen. Det er kunst som refererer til myter og de store, universelle symboler som man møter i alle kulturer. Endo benytter seg ofte av sirkelen, ringen, sfæren eller sylinderen som basisform. Materialene er gjerne metall, stein eller tre. Formene er symboler på evige lovmessigheter, undergang og gjenkomst, døden og den nye begynnelse.

Endos skulptur *Epitaph* - minnebilde - i Flakstad, forteller om noe eller noen som har vært, og som man vil eller burde huske. Kunstnerens valg av skulpturens plassering, like ved en traffikert vei med et steinras som bakgrunn, vitner om det enkle estetiske raffinement som den japanske visuelle kulturen er blitt så berømmet for.

Den tekniske utførelsen av skulpturen, som er bygget stein for stein til et monumentalt kunstverk, strider mot vår tids jag etter effektivitet. Tankene føres hen til det meditative, det langsomme og stille i tilværelsen, eller til den europeiske tradisjonen for en refleksjon som søker seg bortenfor det rent fysiske nærvær.

Toshikatsu Endo's sculptural art belongs both to Japanese culture and to our western tradition. It is an art that refers to myths and to the great, universal symbols that occur in all cultures. Endo frequently takes a circle, ring, sphere or cylinder as his basic shape. His material can be metal, stone or wood. The shapes are symbols of eternal laws, of disappearance and return, of death and the new beginning.

Endo's *Epitaph* sculpture - a commemorative image at Flakstad - tells of something or someone that was, and which we want to or should remember. In this sense, the sculpture is a memorial, even if the artist himself does not decide what is to be remembered. The artist's choice of site for the sculpture, close to a main road, with a rockslide in the background, speaks of the aesthetic refinement for which Japanese visual culture has been so widely appreciated.

The technical execution of the sculpture, in which this monumental work has been constructed stone by stone, is in conflict with the efficiency of the age. Our thoughts lead us to the meditative, the slow and silent aspects of existence, or to the European tradition of reflection that seeks to go beyond physical presence.

Jan Håfström, Sverige / Sweden

Den glömda staden

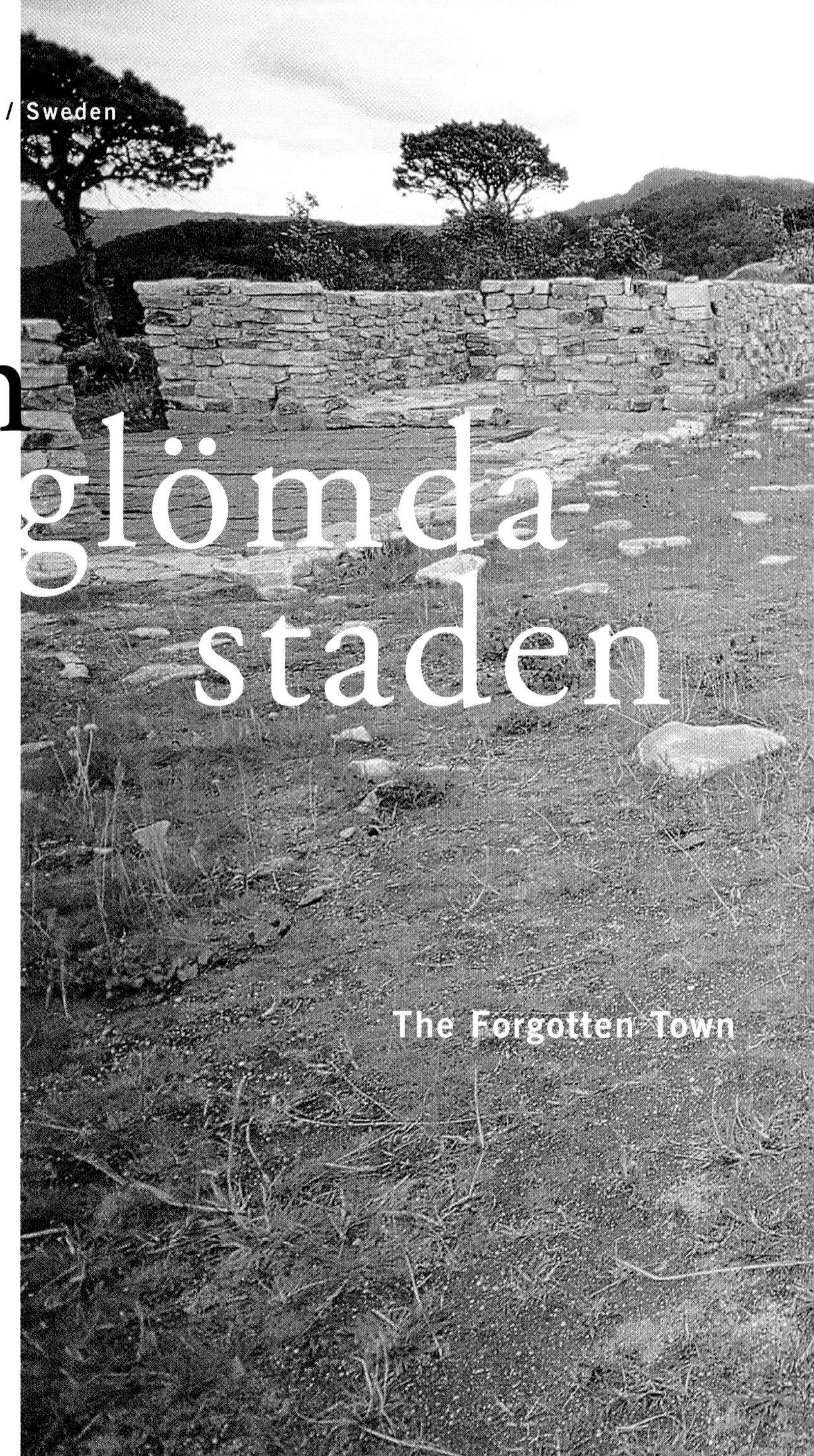

1996
«Den glömda staden»
Kvartsitt, kalkstein
Areal 400 m²
I samarbeid med
arkitekt Johan Celsing

1996
"The Forgotten Town"
Quartzite, limestone
Area 400 m²
In co-operation with the
architect Johan Celsing

The Forgotten Town

Den glömda staden er et ikke-sted, en scene bygget for noe som kunne ha hendt, men nå er den tom og venter på sin framtid. Grunnidéen i denne konstruksjonen synes å være dens tidsparadokser. Steinen, som det urgamle materiale, formes til noe som ligner både en ruin og grunnstrukturen i et bygg. Ruinen som begrep avspeiler en av romantikkens grunntanker om å kunne oppleve tid og rom i et kort øyeblikk av intuitiv klarhet.

Hele scenen er plassert i et landskap hvorfra man har vid utsikt mot fjorden og himmelen. Som menneske er man plassert høyt oppe i landskapets formasjoner slik at man for et kort sekund har en følelse av å ha kontroll over sitt miljø. Samtidig blir man seg likevel bevisst at det finnes en trafikkert vei mellom plassen en har som betrakter og den vakre U-formede åpningen mellom fjellene mot havet. Vi er i en by som er glemt i tiden, som gjemmer seg i tidens komplekse foldninger.

***The Forgotten Town* is a non-site, a stage built for something that could have happened, but which is now empty, awaiting its future. The basic idea behind this construction seems to be its temporal paradoxes. Stone as the primordial material is shaped into something that resembles both a ruin and the basic structure of a building that is to be built. The ruin as a concept reflects one of the fundamental ideas of Romanticism: to be able to experience time and space in a brief moment of intuitive clarity.**

The whole scene is set in a landscape from which distant views open out onto the fjord and the sky. As people, we are placed high up in the formations of this landscape, so that for a brief instant we get the feeling of being able to control our environment. At the same time, however, we become aware that there is a busy road between where we stand as observers and the folded, U-shaped opening running between the fells and out over the sea. We are in a town that has been forgotten in time, one that is concealed within the complex folds of time.

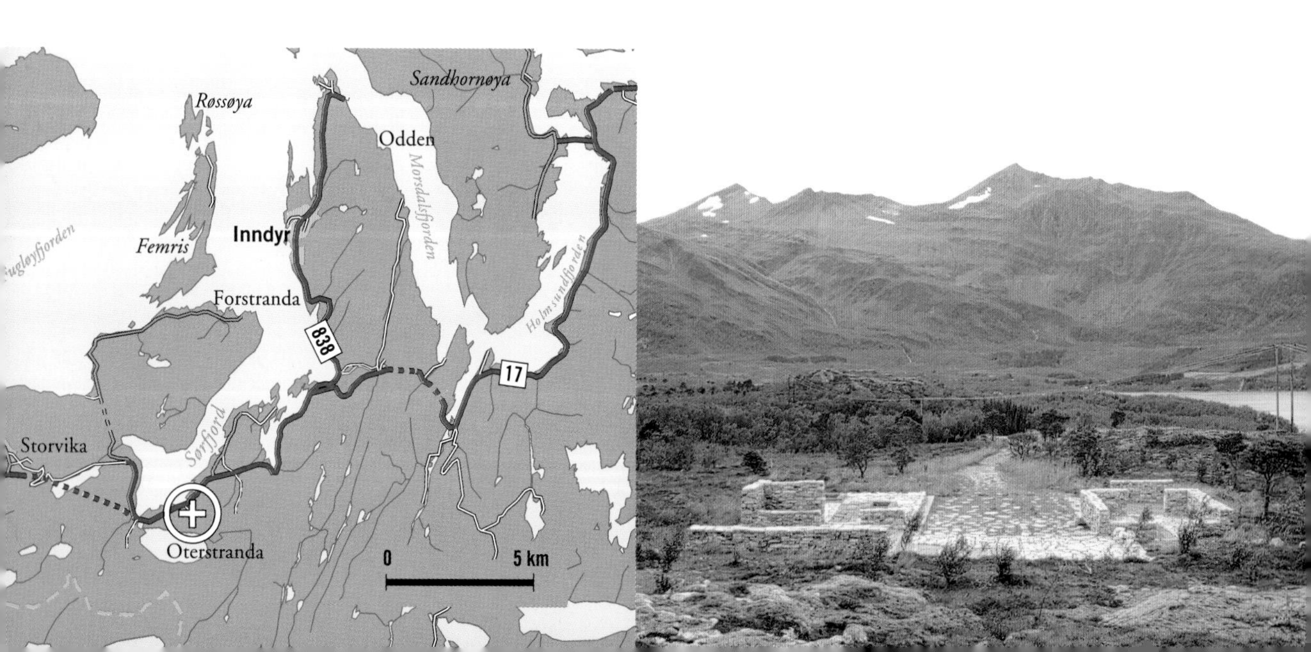

Sarkis, Tyrkia-Frankrike / Turkey-France

Days and Nights

Dager og netter

1998
«Dager og netter»
Skulptur i to deler
Hver del:
Høyde 300 cm
Bredde 200 cm
Lengde 360 cm
Vekt 40 tonn
Lødingen- og Størengranitt

1998
"Days and Nights"
Sculpture in two parts
Each segment:
Length 360 cm
Height 300 cm
Width 200 cm
Weight 40 ton
Granite from Lødingen and Støren

Formen på denne skulpturen kommer fra hus man gjerne ser på barnetegninger. Dager og netter uttrykt gjennom disse to granitthusene, det ene i mørk og det andre i lys granitt, som er plassert i et landskap preget av fjorden og bygningene på den andre siden av den. Skulpturens husform refererer også til tanker om ute og inne, interiør og eksteriør, det trygge og det truende, natur og kultur.

Disse skulpterte husene er tre meter høye, men likevel små sammenliknet med virkelige hus. Om vi betrakter dem fra Hadsel sentrum over fjorden, må vi skjerpe blikket for å forstå de sanne proporsjonene. Står man derimot foran skulpturen og løfter blikket mot den andre siden av fjorden, ser man plutselig virkeligheten gjennom bildets omvendte perspektiv og logikk.

Lysets spill på disse steinflater skaper en stadig vekslende scene, hvor betrakteren kan reflektere over såvel skulpturens betydning som seg selv i det han eller hun får øye på skulpturen.

The shape of this sculpture is taken from the prototypical house that children draw. Days and Nights expressed by these two houses, one of which is in dark granite and the other in light granite, stand in a landscape consisting of both the fjord and the buildings visible on the other side of it. The house shapes in the sculpture also refer to ideas of inside and outside, interior and exterior, security and exposure, nature and culture.

These sculptured houses are over three metres high, yet still small in comparison with real houses. When we see them from the centre of Hadsel across the fjord, we have to re-focus our gaze in order to comprehend the scale of what we are seeing. If we stand in front of the sculpture and raise our eyes to the other side of the fjord, we suddenly see reality through the inverted perspective and logic of the picture.

The play of light on these stone surfaces, creates a constantly changing scene in which the viewer can reflect on both the significance of sculpture itself, but also on him/herself in the moment when he/she catches sight of the sculpture.

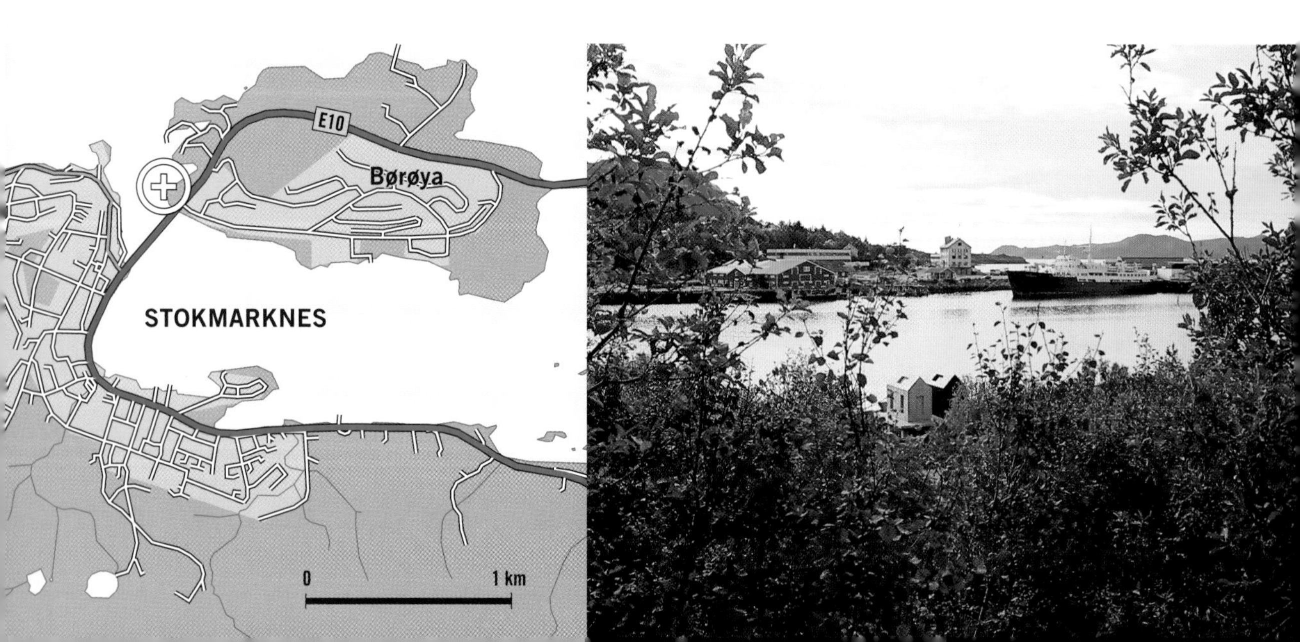

Steinar Christensen, Norge / Norway

Stella Maris

Stella Maris

1994
«Stella Maris»
Stjerneformer av marmor, stål og aluminium, fiolinhals av granitt og drikkebeger av stål
Fiolinhalsens lengde 204 cm
stjernenes diameter 200 cm
drikkebegerets høyde 240 cm

1994
"Stella Maris"
Stars made of marble, steel and aluminium, violin stem of granite and goblet of steel
Length of violin neck 204 cm
diameter of stars 200 cm
height of goblet 240 cm

Steinar Christensens skulptur *Stella Maris* består av en gruppe med objekter som ligger på den steinete bakken. Det hele kan minne om et stilleben, med dets typiske påpeking av livets forgjengelighet.

Formene er kantete og harde som konsonantene i språket, og har den vertikale karakteren som et ord eller utsagn har. Vokalene blir da bakken eller jorden som skulpturen spiller seg ut mot som et avbalanserende element.

Symbolene Steinar Christensen har valgt, og kombinasjonen av dem, vitner om en omsorg for den tiden og det samfunnet vi lever i. Sammensettingen av gjenstandene er som en kommentar. Vi stirrer tilbake på vår egen sivilisasjon fra et tenkt sted i fremtiden. Vi undres om gjenstandene er på vei ut i sjøen, eller om sjøen har båret dem tilbake til bredden hvor de engang oppsto.

Steinar Christensen's sculpture *Stella Maris* consists of a composition of objects placed directly on the rocky ground. Its visual presence is reminiscent of still lifes, with their accentuation of the ephemerality of life.

The shapes of the objects are like consonants, those letters that are hard-edged and bear the vertical quality of a word or a statement. The role of the vowels, the balancing middleground, is taken here by the actual natural ground at the scene of the sculpture.

Christensen's selection of symbols for this sculpture seems to tell us of a concern for the time and culture in which we are living. The combination of these objects also contains a commentary on them. We are made to look back at our civilisation as if from an imagined point in the future. We ponder whether the objects are on the way to the sea, which almost reaches the site, or has the sea carried them back to their shores of origin.

Hreinn Fridfinnsson, Island / Iceland

Alveborg

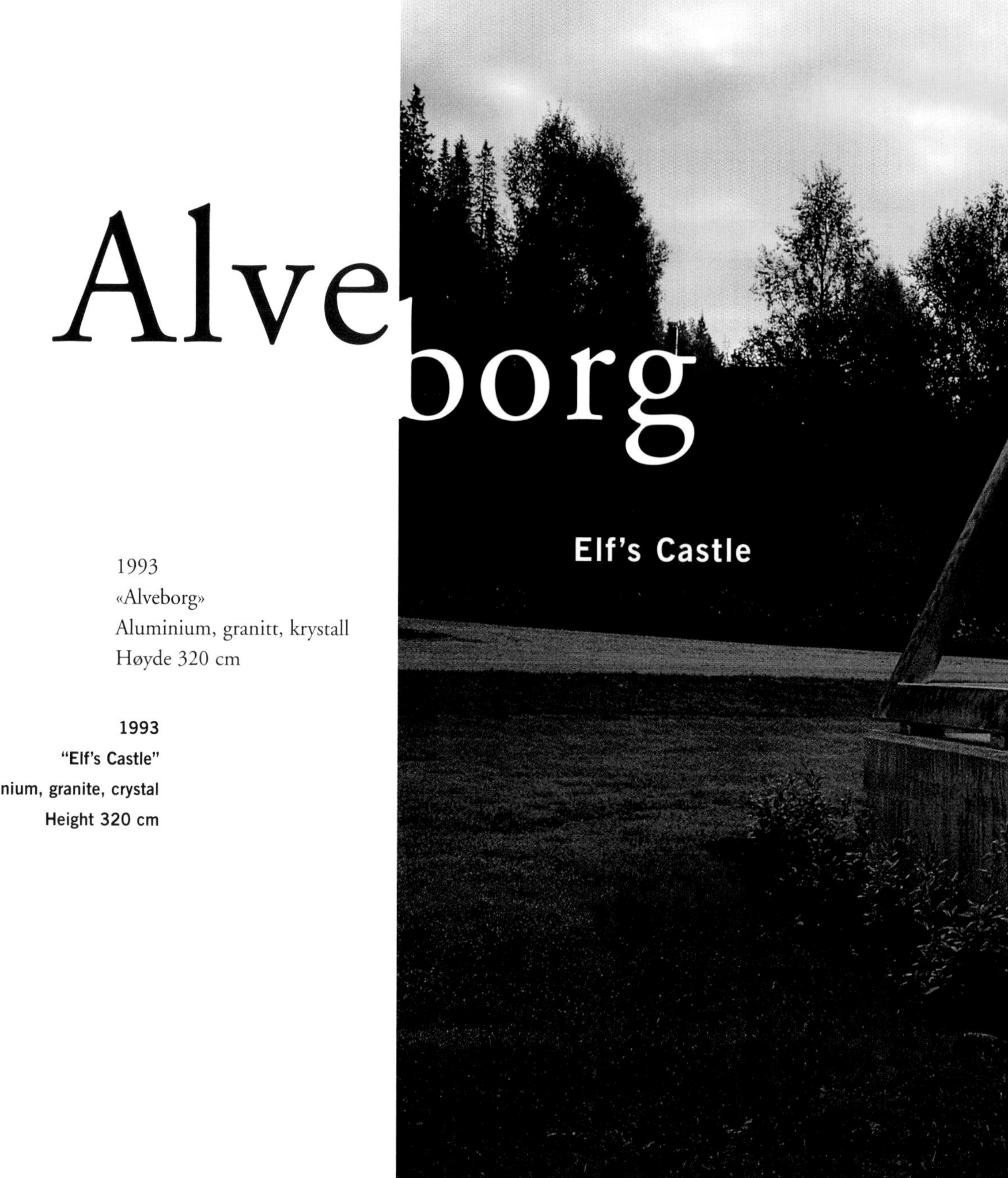

Elf's Castle

1993
«Alveborg»
Aluminium, granitt, krystall
Høyde 320 cm

1993
"Elf's Castle"
Aluminium, granite, crystal
Height 320 cm

Hreinn Fridfinnssons skulptur *Alveborg* oppviser et nettverk av referanser til myte, musikk og geometri. Han synliggjør mytens fortelling eller den måten en usynlig geometri strukturerer vårt univers på.

Skulpturen skaper en scene hvor Platons idé om *tetrahedron* (fire triangler av lik størrelse) som symboliserer universets harmoni, møter den nordiske myten om troll som blir til steiner og alver som er menneskenes hjelpere. Scenen oppstår gjennom de assosiasjonene som ligger i materialene, de forskjellige formene og relasjonene mellom disse elementene.

Skulpturen taler om skjønnhet, som også er en idé, et symbol eller en tanke, før den finner form hos kunstneren og blir realisert i det verket antyder for oss.

Hreinn Fridfinnsson's sculpture *Elf's Castle* reflects a web of references from the worlds of myth, music, and the art of geometry. He makes visible the story of the myth or the way invisible geometry structures the universe.

The sculpture creates a scene in which Plato's idea of the *tetrahedron* (four triangles of equal size) symbolising the harmonies of the universe meets the Nordic myths of trolls that turn into stones and of elves who are always sympathetic to humans. This situation is created through references contained in the materials of the sculpture, in their shapes, and in the internal relationships between these elements.

The sculpture speaks about beauty, which is also an idea, a symbol or a thought, before it takes shape in the artist's vision, being given its material translation in the intimations contained in the work.

Waltercio Caldas, Brasil / Brazil

Omkring

Around

1994
«Omkring»
Malt stål
350 x 1800 cm

1994
"Around"
Painted steel
350 x 1800 cm

Utgangspunktet for Waltercio Caldas skulptur *Omkring* er avstanden mellom husene i Leirfjord. Denne avstanden lot til å tilby en optimal kombinasjon av anledning til å opprettholde privatlivets fred uten å miste muligheten for sosial kontakt. I skulpturen sammenstiller Caldas disse mellomrommene med dimensjonene i landskapet.

Konstruksjonen av skulpturen organiserer også rommet omkring den. Linjene i metall kan sees som en tredimensjonal tegning mot landskapet bak. Skulpturen hviler lett mot bakken. Det virker snarere som om den er der på kort visitt enn at den står der permanent.

Betrakterens erfaring av verket blir særlig bestemt av hennes eller hans fysiske relasjoner og tilstedeværelse i forhold til verket. Vi inviteres til å reflektere over selve det å se, å gå inn i en tilstand av presis observasjon, samtidig som vi også er oss bevisst det skulpturelle uttrykkets tradisjoner.

The starting-point for Waltercio Caldas' sculpture *Around* was the distance he observed between the houses in Leirfjord. This distance seemed to mark the perfect spacing for maintaining privacy, while also offering a possibility for social contact. In his sculpture, the artist juxtaposes the dimensions of this in-between space with those of the surrounding landscape.

The construction of the sculpture also marks and organises the space around it. Its metal lines can be seen as a three-dimensional drawing against the background of the natural landscape. The sculpture rests lightly on the ground, and seems to be more on a visit than permanently set in the landscape.

The unique element in the viewer's experience of the sculpture is defined by his/her own presence and physical position in relation to it. The sculpture invites us to pay attention to seeing, to enter into an alert state of observation, while also keeping in mind the traditions of sculptural expression.

Anish Kapoor, England / England

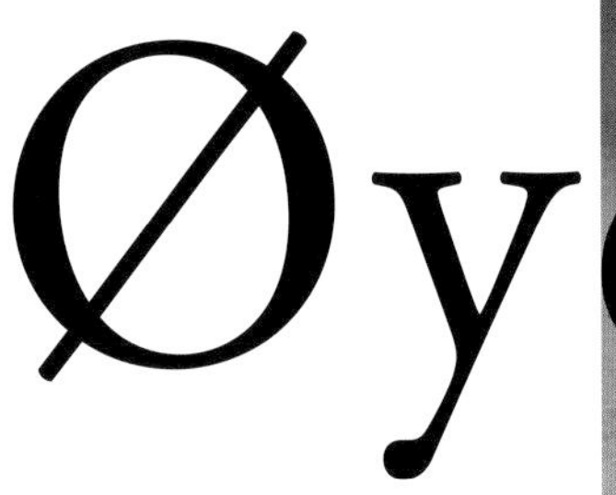

Øye i stein

The Eye in Stone

1998
«Øye i stein»
Lødingengranitt
Høyde 300 cm
Bredde 300 cm
Dybde 200 cm
Vekt 37 tonn

1998
"The Eye in Stone"
Lødingengranite
Height 300 cm
Width 300 cm
Depth 200 cm
Weight 37 ton

Anish Kapoors skulptur befinner seg mellom det visuelle og de sanselige erfaringer som vi bruker til å definere vår eksistens i verden - både som observerende og som fysiske deltakere i den. Skulpturen tilbyr også muligheter for fysisk kontakt. Vi kan berøre dens overflater med hånden, og til og med gå inn i den. Til tross for skulpturens sterke tilstedeværelse, aner man at dens betydning er bortenfor den fysiske virkeligheten. Den befinner seg i de områdene av våre erfaringer som ikke kan uttrykkes med ord. Ordene kan kun beskrive skulpturens fysiske utfoldelse.

Erfaringen forsterkes ytterligere av skulpturens plassering i et landskap som minner om et arketypisk urlandskap som dog er knyttet til lokalhistorien med vikinggravplasser i nærheten. Følelsen av tidløshet eller stillstand brytes med tidevannets vekslinger. Når vannet er på sitt høyeste, slår det inn i skulpturen og rommet med de polerte overflatene som er skapt inne i steinen. Disse silkemyke veggene inne i den ellers naturgrove steinmassen gir en følelse av trygghet som innbyr til et øyeblikk av refleksjon.

Anish Kapoor's sculpture occupies an area somewhere between visual reality and the sensory experiences that help us define our existence in the world, both as observing and as physically participating in it. The sculpture also offers an opportunity for physical contact. We can touch its surfaces with our hands, and even step inside it. Despite the sculpture's powerful presence, we sense that its meaning lies beyond the physical reality. It resides somewhere in that region of our experiences that cannot be put into words. The words can only describe the physical unfolding of the sculpture.

This experience is further reinforced by the sculpture's being placed in a setting that is reminiscent of an archetypal primordial landscape, which is nevertheless bound to local history, with Viking graves nearby. The feeling of timelessness or suspense is broken by the shifts of the tide. When the water is at its highpoint, it enters into the sculpture and into the space with polished surfaces that has been created within the stone. These silken-smooth surfaces inside the otherwise naturally rough mass of rock create a feeling of security that affords a moment of reflection.

Per Kirkeby, Danmark / Denmark

Varde

Beacon

1992
«Varde»
Teglstein
Høyde 320 cm

1992
"Beacon"
Brick
Height 320 cm

Per Kirkebys *Varde* hører til en serie mursteinsskulpturer hvor kunstneren har tatt utgangspunkt i stedet hvor skulpturen skal stå, dets spesifikke *genius loci.* Disse skulpturene har med seg ekkoer fra arkitekturhistorien og bygger på en idé om bygninger som både kulturell og skulpturell form. Hver av Kirkebys mursteinsskulpturer synes å mane frem den spesielle atmosfæren på det utvalgte stedet.

Skulpturen i Meløy står blant bratte og steile fjellsider som forsvinner i fjorden i dalen nedenfor. Dimensjonene er grandiose, knapt fattbare.

Kunstneren refererer til verket som en paviljong, en bygning ment til å gi tid og ro for refleksjon. Konstruksjonen gir ikke beskyttelse, men skaper snarere et utkikkspunkt hvor vi kan se oss rundt og skue landskapet i dets stadige skiftende lys, rammet inn av vindusåpningene i paviljongen.

Per Kirkeby's *Beacon* sculpture is one of a series of brick sculptures in which the artist's starting-point has been the specific site of the work, its *genius loci.* The forms of these sculptures contain echoes from the history of architecture, reflecting the idea of building as a sculptural and cultural form. Each of the sculptures in this series seems to evoke the specific mood of the chosen place.

The sculpture in Meløy stands on a site characterised by abrupt, steep mountain sides descending into the fjord in the valley below. The distances are enormous, too great for the human senses to grasp.

The artist refers to the sculpture as a pavilion, a building designed to allow time and peace of mind for reflection. The construction is not meant to protect us, but rather it creates a point from which we are invited to look around, to gaze into the surrounding nature, its landscapes and changing patterns of light, as they appear to us, framed by the window-openings in the pavilion.

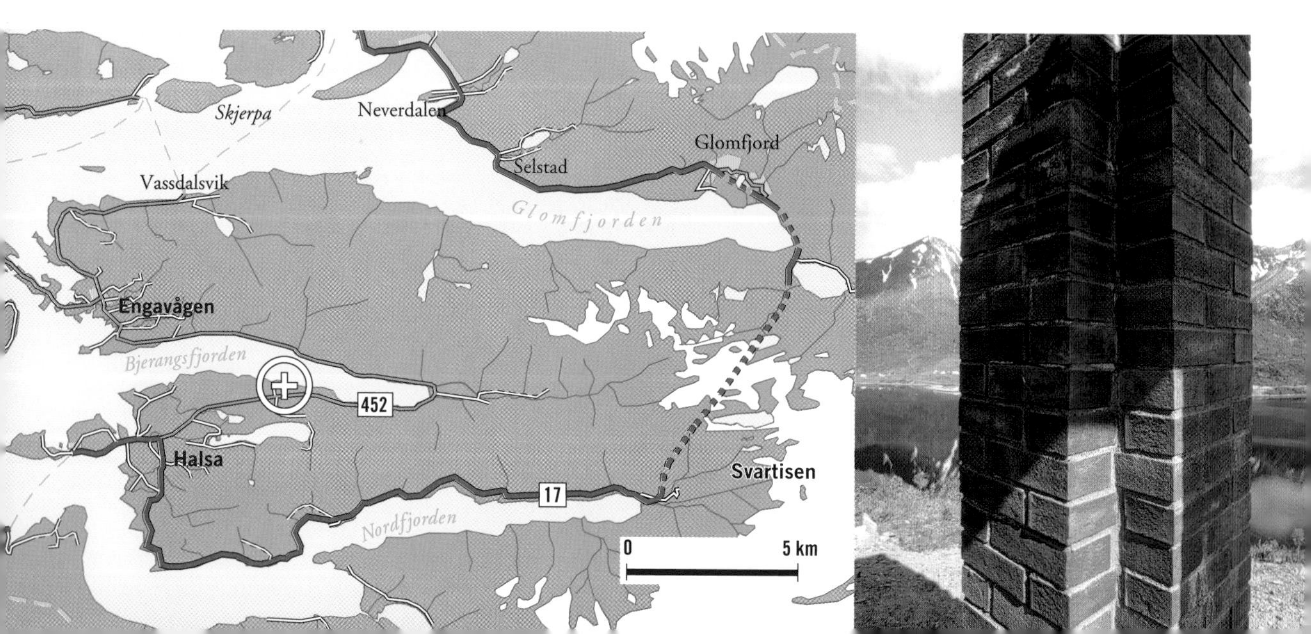

Cristina Iglesias, Spania / Spain

Laurel Leaves - Moskenes

Laurbærblad - Moskenes

1994
«Laurbærblad-Moskenes»
To relieffvegger av aluminium
Høyde 273 x 266 cm,
og 312 x 266 cm

1994
"Laurel Leaves - Moskenes"
Two aluminium wall reliefs
Height 273, width 266 cm
and height 312, width 266 cm

Laurbærblad-Moskenes er en bearbeidelse av inngangen til djevelgrotten, en hule som er naturens eget verk. Kunstneren har plassert en relieffvegg på begge sider av inngangen til hulen, som for å understreke dens mystikk og spesielle karakter. Denne omdannelsen av stedet til et kunstverk, sier noe om den menneskelige viljen til skjønnhet. Her er idéen om skjønnhet hentet fra naturens mønstre, former som i kraft av gjentagelsen danner et «landskap i landskapet», eller «et mønstret felt blant vegetasjonen». Møtet blir til en dialog i mange lag mellom natur og kunst, som strekker seg hinsides skulpturens rene tilstedeværelse til vår visshet om deres gjensidige avhengighet.

Planteformene på relieffene er gjentatt på en måte som minner om den måten kvinner lager tekstiler på, direkte myntet på værelser, på rom, hvor de oppleves som vakre og varme og behagelige. På disse relieffene viderefører planteformene dialogen mellom erfaringer av indre og ytre rom. Og betrakteren blir ikke stengt ute. Han blir tvert imot ønsket velkommen.

Laurel Leaves-Moskenes **is a re-marking of a natural site, an entrance to the naturally formed Devil's Churn. The artist has placed a relief wall on both sides of the entrance, thus wishing to signify its mystery and its value. The re-creation of the site as a work of art is about the human will to make things beautiful. The idea of beauty here is derived from the patterns of nature, the shapes and forms that by repetition form "a landscape within a landscape" as the artist has said, or, one could add, "a patterned field within the fields of vegetation". The encounter presents a layered dialogue between nature and art, reaching beyond the presence of the sculpture into our awareness of their interdependence.**

The plant forms on the reliefs are repeated in a manner reminiscent of the way women design textiles in direct relation to rooms, to spaces, in which their presence is felt as something that is beautiful, warm and soothing. On these reliefs the plant patterns continue the dialogue between the inner and outer spaces of experience. The site is not marked as something you should keep off. Instead it is an invitation and a welcome.

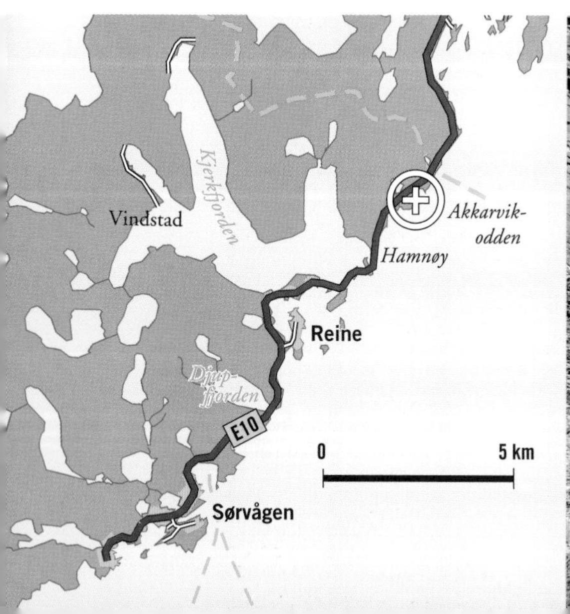

Bård Breivik, Norge / Norway

Uten tittel

Untitled

1993
«Uten tittel»
Granitt søyle og portal
Portal 380 cm
Søyle 550 cm

1993
"Untitled"
Granite column and gate
Gate 380 cm
Column 550 cm

Søylen og portalen som inngår i Bård Breiviks skulptur er plassert langt fra hverandre. De markerer et område, hvor en fremtidig skulpturpark venter på å bli til fra kunstnerens hånd. Stedet er en sone mellom bebyggelsen på den en siden og naturen omkring på den andre. Det ligger for seg selv som om ingen har interessert seg for det.

Kunstneren har ønsket å aktivere dette området og gjøre det til et sted for sansemessig erfaring. Symbolene han bruker er velkjente. De åpner for fornemmelser som rekker hinsides det intellektuelle og det rent visuelle. Vi hører elven som renner ned fjellsiden, vi kan lukte sjøen og årstidene, berøre de ru eller glatte overflatene på steinene, måle oss selv med gjenstandene som målestokk. Vi blir bevisst at vi er fysisk tilstede, at kroppen både er en grense og en forbindelse til verden omkring oss.

The column and the gate are poles marking a scene, a future sculpture park waiting to be created by the artist on this mountain slope. The site is a zone lying between the built-up milieu and the surrounding nature, which has been left unattended as being no one's concern.

The artist has wanted to mark out and activate the area, to make it a place where we are guided into the world of sensory experiences. The symbols used in these sculptures are soothingly familiar, and leave room for experiences before or beyond the intellectual and the domain of sight. We can hear the brook running down the slope, we can smell the sea and the seasons, we can touch the smooth or rough surfaces of the stones, we can measure ourselves against the scale of the objects, we can try to imagine their weight. We become conscious of being physically present, of our bodies as both the boundary and the connection with the rest of the world around us.

Antony Gormley, England / England

Havmannen

Havmannen

1995
«Havmannen»
Granitt
Høyde 1015 cm

1995
"Havmannen"
Granite
Height 1015 cm

Havmannen står i Ranfjorden ca. 15 meter fra strandkanten. Vannflaten følger tidevannets forandringer, og i det vannet står på det høyeste, når det opp til figurens lår. Skulpturens plassering er også definert gjennom dens relasjon til tettstedets struktur.

Skulpturen står vendt med ryggen mot byen og ser mot fjorden i retning det åpne havet. Skulpturen ser ut til å være falt i sine egne tanker. Til tross for størrelsen er denne skulpturen ikke noe monument. Dens retorikk henvender seg til hver og en av oss individuelt, og diskusjonen er privat. Den tilhører de erfaringene vi ikke kan dele med andre. Vi bygger vår følelse av fellesskap på den tro at vi deler disse eksistensielle opplevelsene med hverandre.

Tar man et steg lenger bort og ser skulpturen i sine omgivelser, i landskapet som formes av byen og dens bygninger, fjorden med vannet og fjellene med sine intrikate steinformasjoner, opplever man at skulpturen mister sin materielt tunge tilværelse og forvandles til en sort form, nesten som et hull eller en negativ form skulptert i luften.

***Havmannen* stands in the water of the Ranfjord about 15 metres from the water's edge. The surface of the water rises and falls with the tide. The sculpture's position is also defined by its relationship with the town's structure.**

The sculpture stands with its back turned towards the town, and looks out over the fjord, in the direction of the open sea. It seems to be concentrating on its own thoughts. Despite its scale, this sculpture is no monument. Its rhetoric is directed at each one of us individually, and this discussion is private. It belongs to the experiences that we cannot share with others. We base our sense of having something in common on the belief that we share these existential experiences with each other.

If we take a step further away and look at the sculpture in its setting, in the landscape formed by the town and its buildings, the fjord with its water and the fells with their intricate stone formations, we can experience the sculpture losing its materially heavy presence and being transformed into a black outline, almost a hole or a negative form sculpted in the air.

P

Luciano Fabro, Italia / Italy

Il Nido / The Nest

Reiret
Il Nido

1994
«Il Nido/Reiret»
Carraramarmor
To søyleformer med diameter 85 cm
høyde 25 cm og eggenes diameter 25 cm

1994
"Il Nido/The Nest"
Carrara marble
Two column fragments
diameter 85 cm, height 25 cm
and eggs diameter 25 cm

Luciano Fabro har sagt at skulpturen *Il Nido* er et monument som er laget for fugler. Den er plassert på en øy hvor trekkfuglene hekker. Formene er hentet fra så vel naturen som kulturen. Eggene bringer tankene hen på livets begynnelse, mens de klassiske søyleformene forteller om svunnen storhet. Livet har en begynnelse og en slutt for alle levende vesener. Men det finnes også en mulighet for en ny begynnelse ved å gjenopprette balansen og den vitale energien i livet og kunsten, slik Fabro har uttrykt det.

Fabro snur opp ned på begrepene om det offentlige og det private. En offentlig plass slik den tradisjonelt er knyttet til idéen om et monument, er blitt forvandlet til en livssfære for fuglene, mens vi er nødt til å legge ut med båt for å ta monumentet deres i øyesyn.

Luciano Fabro says that the sculpture *Il Nido* is a monument made for birds. The site of the sculpture on an island where migrating birds nest creates this meaning. The forms of the sculpture are derived both from nature and from culture. The eggs mark the beginning of a life, while the classical forms of the columns tell of bygone splendours. There is a beginning and an end to all living organisms, but also a possibility of starting again by recovering the balance and vital energy of life and art, as the artist himself has put it.

Fabro turns the concepts of the private and public upside down. The traditional role of the public place as the site of a monument has been transformed into the life sphere of the birds, while in order to see their monument, we are required to make a journey by boat.

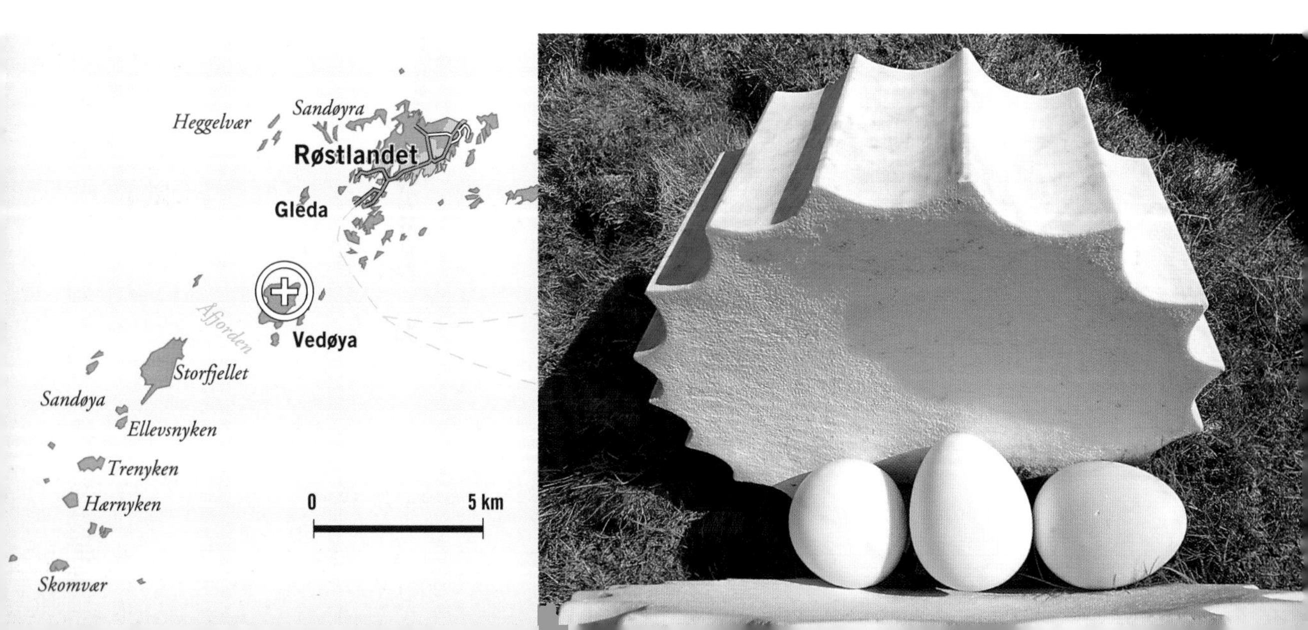

Gediminas Urbonas, Litauen / Lithuania

Fire Eksponeringer

Four Exposures

1993
«Fire Eksponeringer»
Marmor, granitt og betong
Fuglereiret: Høyde 115 cm
Diameter 90 cm
Ski: 184 cm
Betongnisje: 116 x 116 cm
Åre: 320 cm

1993
"Four Exposures"
Marble, granite and concrete
Bird's nest: Height 115 cm
Diameter 90 cm
Ski, length 184 cm
Concrete niche 116 x 116 cm
Oar, length 320 cm

Fire eksponeringer befinner seg i en helning og er synlig fra mange steder i terrenget omkring. Man kan også klatre oppover skråningen for å betrakte objektene på nært hold og berøre den myke, polerte og fint uthugde overflaten i steinen.

I tre av de fire nisjene er det stilt opp objekter. Vi kan lese rekken av ting, fint gjort for hånd, som en setning, eller se dem som om de har kommet opp av jorden og forteller en tilfeldig historie fra uminnelige tider. Ski og åre hører til blant de praktiske nødvendighetene i det daglige livet i denne regionen. Fugleredet minner oss om at mye av opprinnelsen til vår kultur ligger i det naturgitte. Det arketypiske ved disse objektene bærer med seg noe av hverdagens mystiske dimensjoner, den sonen av trygghet vi skaper rundt oss gjennom vår forståelse og evne til å mestre virkelighetens utfordringer - en skjebne vi deler med fuglene.

Four Exposures is located on the slope of a hill that is visible from many viewpoints and levels in the surrounding area. It is also possible to climb up the hill to view the objects close up, to touch them and to feel the soft, skilfully carved and polished stone surfaces.

Of the four niches on the slope, three display objects. We can read the line of the objects as a carefully crafted sentence, but we can also think that they have emerged from the ground, telling a chance story of bygone times. The ski and the oar are among the basic, practical necessities of daily life in this region, while the bird's nest reminds us that the source and origin for much of our culture is in nature. The archetypal designs of these objects translated into sculptures carry with them the mythical dimension of our daily existence, in which we live in the zone of safety created by our understanding of reality and our ability to cope with the challenges it presents to us. We share this fate with birds.

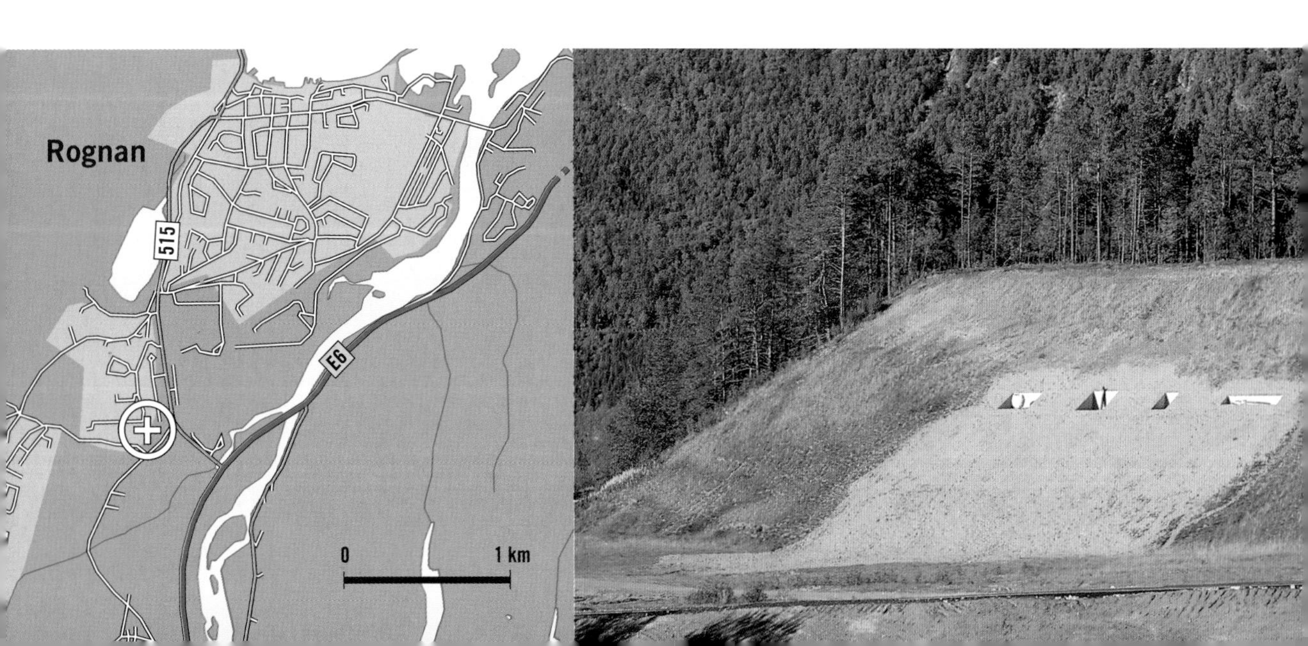

Kristján Gudmundsson, Island / Iceland

Protractus

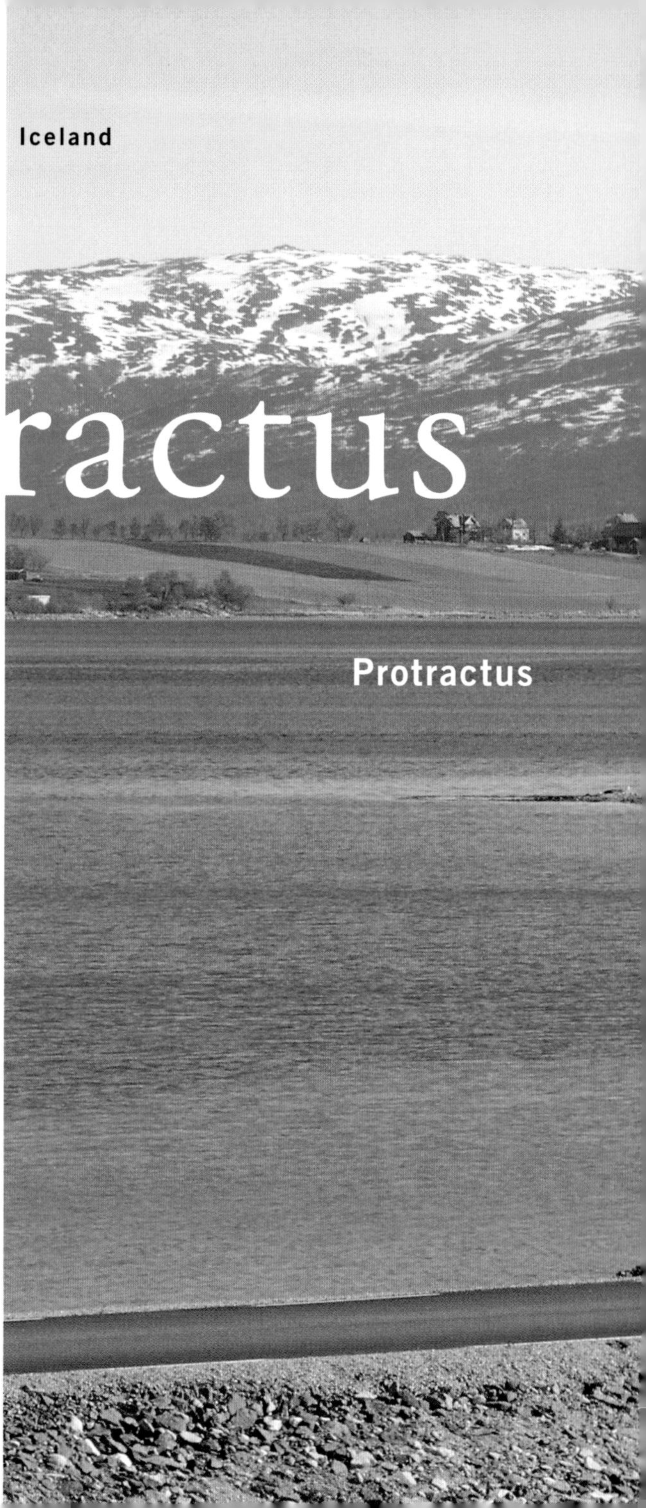

Protractus

1993
«Protractus»
Granitt
Høyde 316 cm

1993
"Protractus"
Granite
Height 316 cm

Kristján Gudmundsson har sagt at kunstverket er «som et kar med bilder og idéer». Han har kalt sitt verk *Protractus,* og gir dermed assosiasjoner til «å nå utover» eller «å bevege seg hinsides». Formen på skulpturen baserer seg på transportøren, det velkjente hjelpemidlet fra geometrien for å måle vinkler på en plan flate eller forandre målestokken.

Transportøren er blitt overført til en monumental målestokk. Når vi ser skulpturen der den står i Skjerstad, er det som om kurvaturen i åpningen rammer inn en landskapsscene av historisk betydning. I tråd med skulpturens fysiske størrelse er stein benyttet som materiale. Steinen, de historiske referansene som ligger i landskapet og idéen med en transportør, etablerer en dimensjon av tid som bringer oss hinsides her og nå.

Kristján Gudmundsson has said that a work of art is "like a vessel for images and ideas". By calling his work *Protractus,* he gives it the association of 'reaching across' or 'going beyond'. The basic form of the sculpture originates from a protractor, the well-known implement for measuring angles on plane surfaces or for transforming the scale of things.

In Skjerstad the shape of the protractor is translated onto a monumental scale. When we view the sculpture, its curved opening frames a landscape scene with historical significance. In accordance with the physical size of the object, the material used is stone. The stone, the historical references in the surrounding landscape, and the idea of the protractor represent a time dimension that enables us to go beyond the here and now.

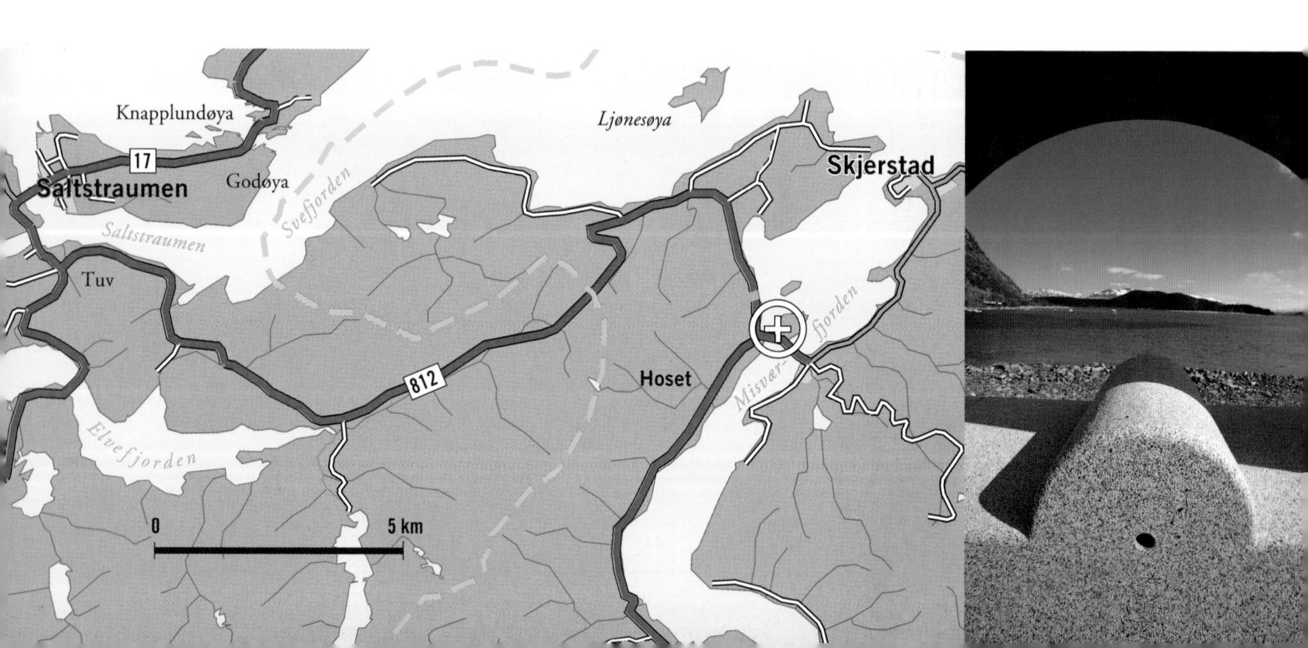

Martti Aiha, Finland / Finland

Syv magiske punkter

Seven Magic Points

1994
«Syv magiske punkter»
Relieff av jern
Diameter 550 cm
Høyde 21 cm

1994
"Seven Magic Points"
Iron relief
Diameter 550 cm
Height 21 cm

Skulpturen *Syv magiske punkter* ligger på en liten halvøy, vendt mot stedet hvor midnattssolen kan sees full av magisk strålekraft i løpet av sommermånedene. Sirkelen som gir skulpturen dens ytre form er som en gjenspeiling eller skygge av selve solskiven. Mens den ytre sirkelen forteller om solen, minner de intrikate mønstrene inni sirkelen for eksempel om naturformene i landskapet rundt. De forteller også noe om hvordan symboler har sin opprinnelse i naturens former. Den scenen som oppstår får et rituelt aspekt. Skulpturen er også preget av det glødende røde jernet, og hvordan det hele forandrer seg med årstidene.

The sculpture *Seven Magic Points* lies on a small peninsula facing towards the place where the midnight sun is seen in its full magical splendour during the summer months. The circle that forms the basic shape of the sculpture is like a reflection or shadow of the disc of the sun. The circular form tells us about the sun, while the intricate patterns inside it bear a likeness to the natural forms that surround it. They also tell a story of how symbols originate in natural forms. The scene created by this placing has a ritual aspect to it. The presence of the sculpture is also marked by the glowing red iron, and by the way the whole scene changes according to the seasons.

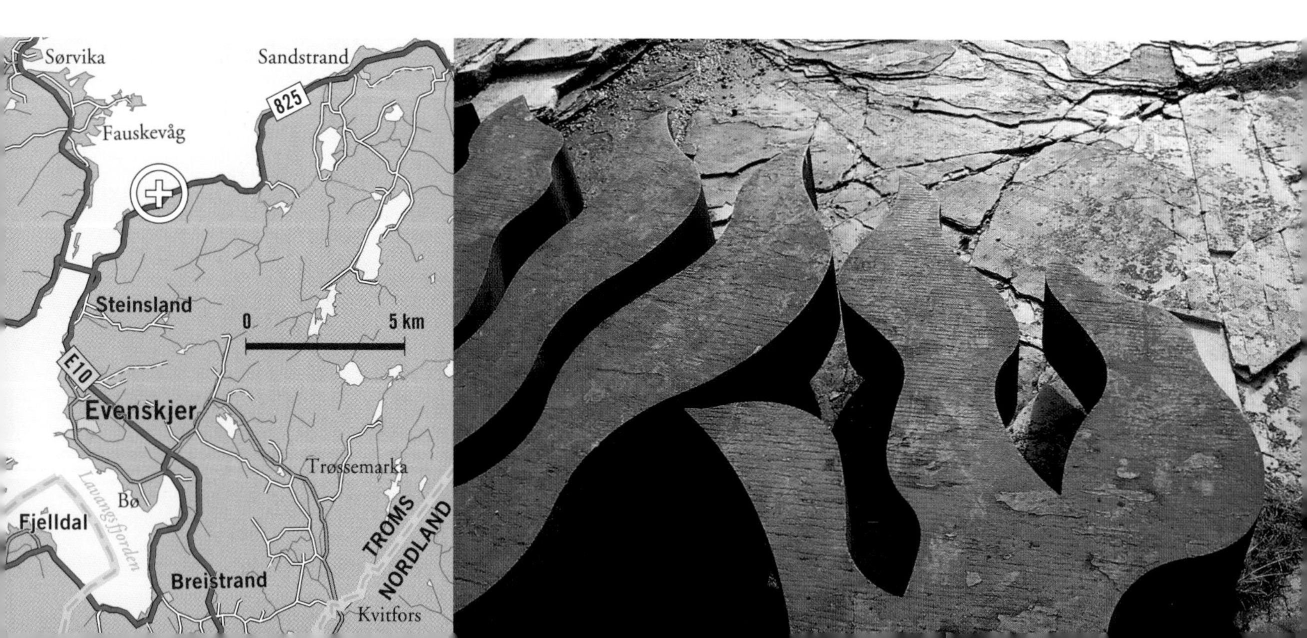

Sigurdur Gudmundsson - Island / Iceland

Ocean Eye

Havsøye

1992
«Havsøye»
Granitt
Høyde 340 cm

1992
"Ocean Eye"
Granite
Height 340 cm

Skulpturen *Havsøye* består av to hovedformer: En båt og et hus. De avspeiler menneskets grunnleggende behov, og symbolene er kjent over hele verden. Huset støtter seg på båten, og i midten av huset er det en diamantformet åpning. Dette vinduet åpner for og rammer inn den vakre utsikten over mot den andre siden av fjorden. De høypolerte sidene av stein i åpningen reflekterer det omskiftelige samspillet mellom sjøen, himmelen og fjellene, et kontinuerlig spill av lys og bevegelse.

Gudmundssons kunst viser oss hvor nært det poetiske ligger hverdagens ting, det vi ser, tenker, og måten vi forstår det på. Hans visuelle poesi er ikke livsfjern, den ber oss om å se tingene fra en annen kant.

The *Ocean Eye* sculpture contains two basic shapes: a boat and a house. Reflecting the basic needs of man, the forms are also familiar symbols the world over. The house rests on the boat. In the centre of the house shape there is a diamond-shaped opening, a window that both opens outwards and frames - thereby drawing in - the beautiful view far away on the other side of the fjord. The highly polished sides of the opening reflect the changing moods of the sea, the sky and the mountains, in an ongoing spectacle of light and movement.

Gudmundsson's art shows how close poetry actually is to everyday things, to what we see and think, and how we understand it. This is the kind of poetry that does not suggest escape, instead it recommends that we try to see things from a different angle and at a new distance.

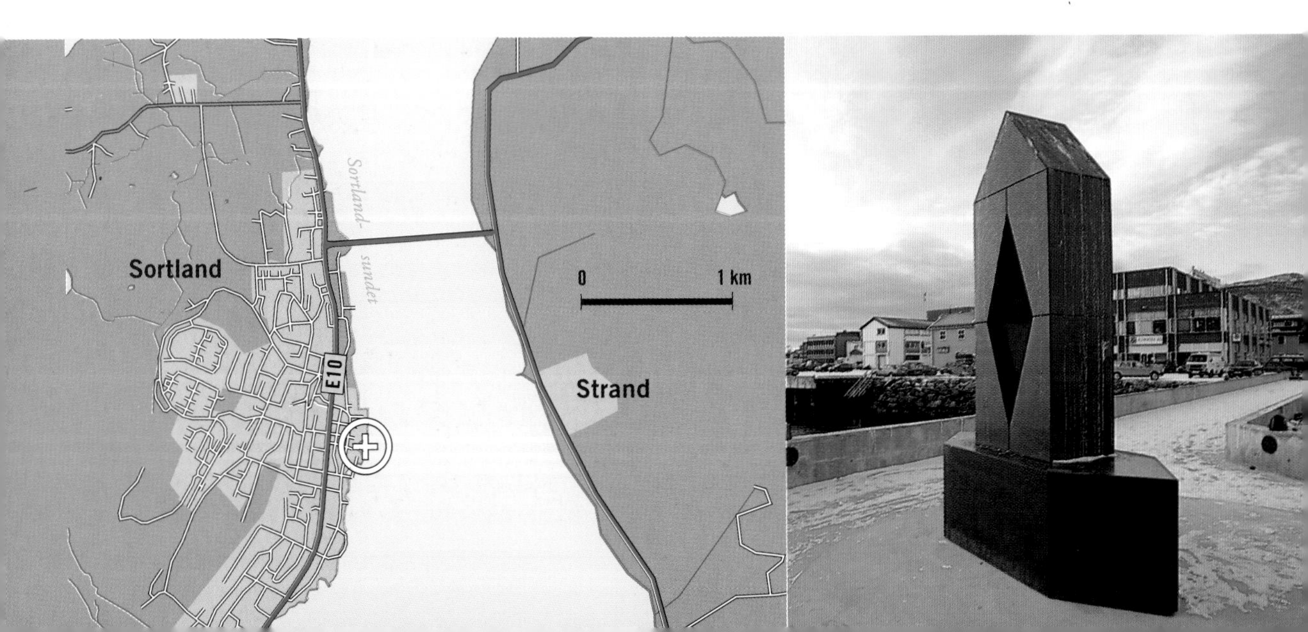

Dorothy Cross, Irland / Ireland

Hai-Ku-Badekar

Shark-Cow-Bathtub

1993
«Hai-Ku-Badekar»
Granitt, bronse, støpejern
Kujuret 75 x 75 cm
Haiens lengde 250 cm
Badekaret 60 x 110 x 57 cm

1993
"Shark-Cow-Bathtub"
Granite, bronze, cast iron
Cow's udder 75 x 75 cm
Shark's length 250 cm
Bathtub 60 x 110 x 57 cm

Skulpturen *Hai-Ku-Badekar* av Dorothy Cross består av tre deler som hver bærer en hel verden av assosiasjoner i seg. Når disse elementene kombineres, oppstår det en ny historie. Sammenstillingen av et kujur og en hai med kvinnelige bryster introduserer objekter og meningsinnhold som er uvanlig i kunstens verden. Kujuret ble brukt i den lokale matkulturen, og haien med bryster kan sees som en surrealistisk kommentar til en klisjé-fylt forestilling om kvinnen. Badekaret av jern som opprinnelig var det tredje elementet i skulpturen, og som var tenkt til å ruste bort på grunn av tidevannet, ble i stedet tatt av stormen i løpet av den andre vinteren det sto der.

Når man spinner en historie rundt disse formene, gir man dem tid. Usikkerheten man erfarer i en slik prosess kan sammenlignes med den følelsen man har når man forsøker å bruke et nytt ord for første gang.

Dorothy Cross' sculpture *Shark-Cow-Bathtub* is composed of three parts, each of which carries a world of references with it. The combination of these elements creates the possibility for a new story to emerge. In juxtaposing elements like the cow's udder and the shark with female breasts, the sculpture also discusses objects and meanings new to the world of art. The cow's udder is known as a domestic implement in the history of the local households, while the shark with breasts can be seen as a surreal comment on the clichéed image of woman. The iron bathtub that originally formed the third part of the sculpture, was expected to disappear through corrosion caused by the tidal waters, but was actually born out to sea by a storm during the second winter of the sculpture's existence.

To spin a story around these objects is to imbue them with time. The uncertainty experienced in the process could be compared to the feeling of trying to use a new word for the first time in speech.

Olafur Gislason, Island / Iceland

Media Thule

Media Thule

1994
«Media Thule»
Trehus
530 x 380 x 330 cm

1994
"Media Thule"
Wooden house
530 x 380 x 330 cm

Olafur Gislason har bygget et hus, et sted hvor besøkende kan oppholde seg en stund og meditere over det utsynet som åpner seg gjennom vinduene mot fjorden og fjellene. I denne scenen har kunstneren isolert betrakterens opplevelse av et kunstverk.

Huset blir et tilfluktsted for kontemplasjon, for vårt forsøk på å komme på det rene med både vår egen situasjon og verden omkring oss. Det blir også et sted for kommunikasjon mellom de besøkende som den omgivende naturen og kunstverket taler til. Vi blir fanget i en kontinuerlig diskusjon mellom folk som besøker huset. En grunnleggende kunsterfaring er lagt ned i den enkeltes fortolkning av det sette og erfarte, og i vår evne til å dele slike følelser og idéer. Individets refleksjon blir en del av en felles bevisshetsstrøm.

Olafur Gislason has built a house, a place where visitors can linger for a while, and reflect upon the scene opening out beyond the large windows, out onto the landscape of the fjord and the mountains. In this scene he isolates the viewer's situation in an encounter with a work of art.

The house is a shelter for contemplation, and thus for the processes involved in our endeavour to become more aware both of our own situation and of the world around us. This is also a site for communication. Here the act of communication is changed so that it takes place between the viewers, between those addressed by the surrounding landscape and the work of art. We are caught up in a continuous discussion between the people visiting the house. An essential experience of art is contained in the individual interpretation of the seen and experienced, and in our ability to share these emotions and ideas. Individual reflection becomes part of the collective stream of consciousness.

Hulda Hákon, Island / Iceland

Tré Eldar

Three Flames

1997
«Tré Eldar»
Lakkert rustfritt stål,
granittheller, blomster
Høyde 80 cm
Granittheller 40 x 40 cm

1997
"Three Flames"
Varnished stainless steel
granite plates and
planted flowers
Height 80 cm
Granite slabs 40 x 40 cm

Hulda Hákon er en virkelig historieforteller. Men i stedet for å fortelle en historie har hun her skapt en situasjon, en scene hvor fortellinger kan oppstå. Scenen er direkte knyttet til hverdagen, men denne hverdagen kan når som helst få saga-diktningens dimensjoner. Denne plass med ildtunger er et forum hvor det fortelles historier. Samtidig blir man tiltalt av små satser, med helt vanlig hverdagsretorikk gravert på steinplatene som er plassert på marken.

Siden urtiden har ild om natten eller et åpent ildsted som man samles omkring, blitt sett som en invitasjon til kreativitet, til bilder og fortellinger som gjemmer seg i våre minner eller i vår underbevissthet. Denne scenen har en evig ild som fører oss til stadig nye eventyr med ulike variasjoner av det sette og opplevde som man vil dele med andre. En viktig del av skulpturen er også de intense blå blomstene som i blomstringstiden blir til et høydepunkt i skulpturens årlige syklus, men som forblir en hemmelighet resten av året.

Hulda Hákon is a true storyteller. But, instead of simply telling a tale, here she has created a situation, a stage where narratives can emerge. The scene bears direct links with the everyday, but this everyday can at any time acquire the dimensions of a saga. This place of flames is a forum for the telling of stories. At the same time, we are addressed in brief phrases, in totally ordinary, everyday rhetoric engraved into stone slabs placed on the earth.

Ever since ancient times, fire in the night or in an open fireplace around which we gather has been seen as an invitation to creativity, to images and tales that lie hidden in our memories or in our subconscious. The scene here includes an eternal flame, which leads us into constantly new adventures, in different variations of the seen and experienced that we want to share with each other. An important part of the sculpture is also the intense blue flowers, which when they are in bloom become a highpoint of the sculpture's annual cycle, while remaining a secret for the rest of the year.

Hvorfor tok det
så lang tid før
du kom?
Venter du
på noen?

Kain Tapper, Finland / Finland

A New Discussion

En ny samtale

1992
«En ny samtale»
Granitt
Høyder:
225 cm
155 cm
115 cm

1992
"A New Discussion"
Granite
Heights:
225 cm
155 cm
115 cm

Kain Tappers kunst er basert på erfaringer av naturen. Han grunner over naturfenomener som vind, frost, morgentåke, eller naturens strukturer. Han har også lenge vært spesielt interessert i dyreskallens trekantede form. Disse inntrykkene fra naturen blir omdannet i hans skulpturer. De oversettes til et skulpturelt språk av former.

Skulpturen består av tre deler. De er abstrakte, men kan minne om skisser gjort for hånd. De vibrerer i spenning mellom geometrisk form og håndens impresjonistiske bearbeidelse. Det oppstår en følelse av organisk vekst, eller den måten vi opplever bevegelse i naturen på, som vind. De tre delene skaper et spenningsfelt og et sted for kontemplasjon.

Skulpturens størrelse er tilpasset de menneskelige dimensjoner og kroppen. *En ny samtale* er en oppfordring til betrakteren.

Kain Tapper's art springs from experiences of nature. He contemplates natural phenomena like the wind, frost, morning mist or structures in nature. He also has a long-standing interest in the triangular shape of the animal skull. Perceptions of natural phenomena are transformed into sculptures. In this they undergo a process of translation into the language of sculptural forms.

The sculpture A New Discussion consists of three parts. The forms are abstract, but they are executed in a way that is reminiscent of sketches done by hand. The vibrant tension created by this juxtaposition of geometry and impressionistic touches of the hand creates a feeling of organic growth, or of the way we experience movement in nature, such as that of the wind. The three parts of the sculpture create an internal field of tension, a place for reflection.

The scale of the sculpture is adapted to that of man, being related to the human body. The proposal for *a new discussion* is addressed to the viewer.

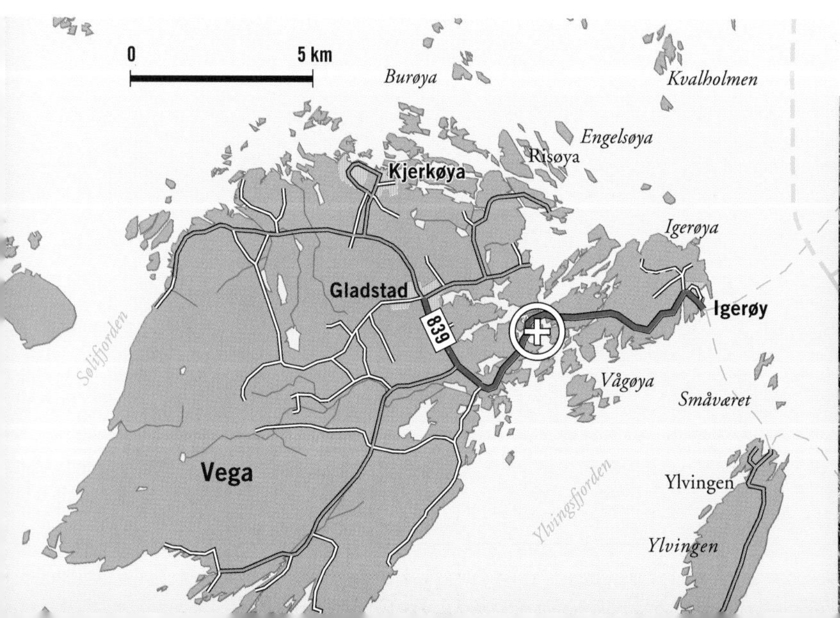

Markus Raetz, Sveits / Switzerland

Hode

Head

1992
«Hode»
Jern og granitt
Høyde 178 cm

1992
"Head"
Iron and granite
Height 178 cm

Kunsten til Markus Raetz handler om å se, om hvordan vi observerer tingene rundt oss. Denne kontinuerlige iakttagelses-prosessen er en del av det å være levende, og den gir livet mening. Raetz viser oss at verden er full av overraskelser om vi bare går inn i dialogen mellom våre sanser og våre fysiske bevegelser i rommet. Vi blir konfrontert med overraskelser, og minnet om at de kan erfares også ellers i livet, hvis vi har øynene åpne.

Skulpturen som står på Eggum forandrer form, og dermed også innhold, seksten ganger når man går rundt den. Fra én synsvinkel ser den ut som et klassisk portrett, fra en annen er hodet snudd opp-ned. Skulpturen er plassert på beiteområde for sauer. Landskapet omkring er monumentalt og fullt av stadig skiftende former og farger. Sjøen er det andre elementet, farget av årstidene, fylt av naturens skjønnhet og historiske minner. Skulpturen later til å stå i forbindelse med det hele for tilskueren som betrakter den - og tar plasseringen i landskapet med i betraktningen.

Markus Raetz's art is about seeing, about how we observe the things around us. This continuous process of observation actually contains the sense of being alive and gives meaning to life. Raetz's art shows us that the world is full of surprises, if we enter into the dialogue created by our senses and our physical movements. We are shown surprises, and reminded that they can be experienced even in other situations in our life, if we pay attention.

The sculpture on Eggum changes its form - and thus also its content - 16 times as the viewer walks around the sculpture. From one viewing angle, it looks like a classical portrait, and from another the head is seen upside down. The sculpture stands in an area that is used as grazing land for sheep. The surrounding landscape is monumental and full of changing colours and surfaces. The sea creates the other pole of this setting, which is coloured by the seasons of the year, and filled with both natural beauty and historical memories. The sculpture seems to be connected to all of these as the viewer ponders its site and its meaning amid this scenery.

Oddvar I. N. Norge / Norway

Opus for himmel og jord

Opus for Heaven and Earth

1993
«Opus for himmel og jord»
Slipt inn i fjell
Sirkelens diameter 980 cm
Areal 75m²

1993
"Opus for Heaven and Earth"
Carved into mountain
Diameter of the circle 980 cm
area 75m²

Skulpturen er et sirkulært, negativt relieff i en bergskråning. Den er blitt laget ved å fjerne den porøse overflaten og hugge direkte inn i steinen. Overflaten er polert, og på den måten er steinens skjønnhet blitt synlig, med fargenyanser som tidligere ikke var der. Verket er gravert inn i fjellet og preger landskapet med sin tilstedeværelse.

Oddvar I. N. har kalt verket *Opus for himmel og jord.* Han sier at hans idé referer til menneskenes vandring over kloden. Sirkelen som symbol for uforanderlig kontinuitet og evig gjentagelse er kjent over hele verden.

The sculpture is a circular, negative relief on a mountain slope. It has been made by removing the windswept, porous surface layer of the mountain and carving the form straight into the rock. By polishing the surface of the mountain, the sculptor has revealed the beauty of the stone, with its subtle colours that were previously hidden. The work is engraved into the mountain, and marks the landscape with its presence.

Oddvar I.N. has called his sculpture *Opus for Heaven and Earth,* and says that his idea refers to human migration across the globe. The symbolism of uninterrupted continuity and eternal recurrence contained in the circle is known throughout the world.

Dan Graham, USA / USA

Uten tittel

Untitled

1996
«Uten tittel»
Reflekterende gjennomskinnelig
glass og rustfritt stål
Høyde 250 cm
Bredde 300 cm

1996
"Untitled"
Two-way mirror construction
and stainless steel
Height 250 cm
Width 300 cm

Dan Grahams glasskonstruksjon med gjennomsiktige speilvegger er plassert langs hovedveien gjennom Lofotens geografiske formasjon som ligner en arm. Skulpturen later i første omgang ikke å være tilstede som noe materielt, men snarere som noe som fanger lyset og bildet av landskapet omkring. Med sin speilende konkave panoramavegg er den en fest for øyet. Vi ser et landskap som kunne forekomme i et hvilket som helst maleri som dyrker det sublime landskapet som motiv, men som i dette unike øyeblikket både er til stede og avbildet.

Vi møter spørsmål, tilstander og posisjoner som både angår vår måte å iaktta verden omkring oss på og vårt eget ståsted. Vi er på innsiden av en erfaringsprosess der vi selv kan bestemme takten og fortellingen. Hendelsen skapes av skulpturen og dens filmatiske spill med omgivelsene. Vi kan bli delaktige i dens omskiftelige skuespill, og velge vår egen rolle, vårt egen ståsted i det hele. Kunstverket er både et bilde, et objekt og en arkitektonisk form, men fremfor alt er det en begivenhet.

Dan Graham's glass construction with its transparent, reflecting walls has been placed beside the main road that runs through the arm-like geographical formation of the Lofoten Islands. The sculpture seems to be present not primarily as something material, but rather as something that captures the light and the image of the surrounding landscape. With its reflective, concave panorama wall, it creates a feast for the eye. We see simultaneously a landscape that could appear in any painting that takes the sublime landscape as its theme, but which in this unique moment is both present and depicted.

We are confronted with questions, states and positions that refer both to our way of observing the world around us and to our own position in it. We are inside an experience process whose pace and narrative we are able to regulate. This event is created by the sculpture and its filmically varying surroundings, but we are able to take part in its shifting play. We can choose our own role, our own position in the whole. The artwork is a picture, an object and an architectonic form, but above all it is an event.

Inghild Karlsen, Norge / Norway

Etterbilder

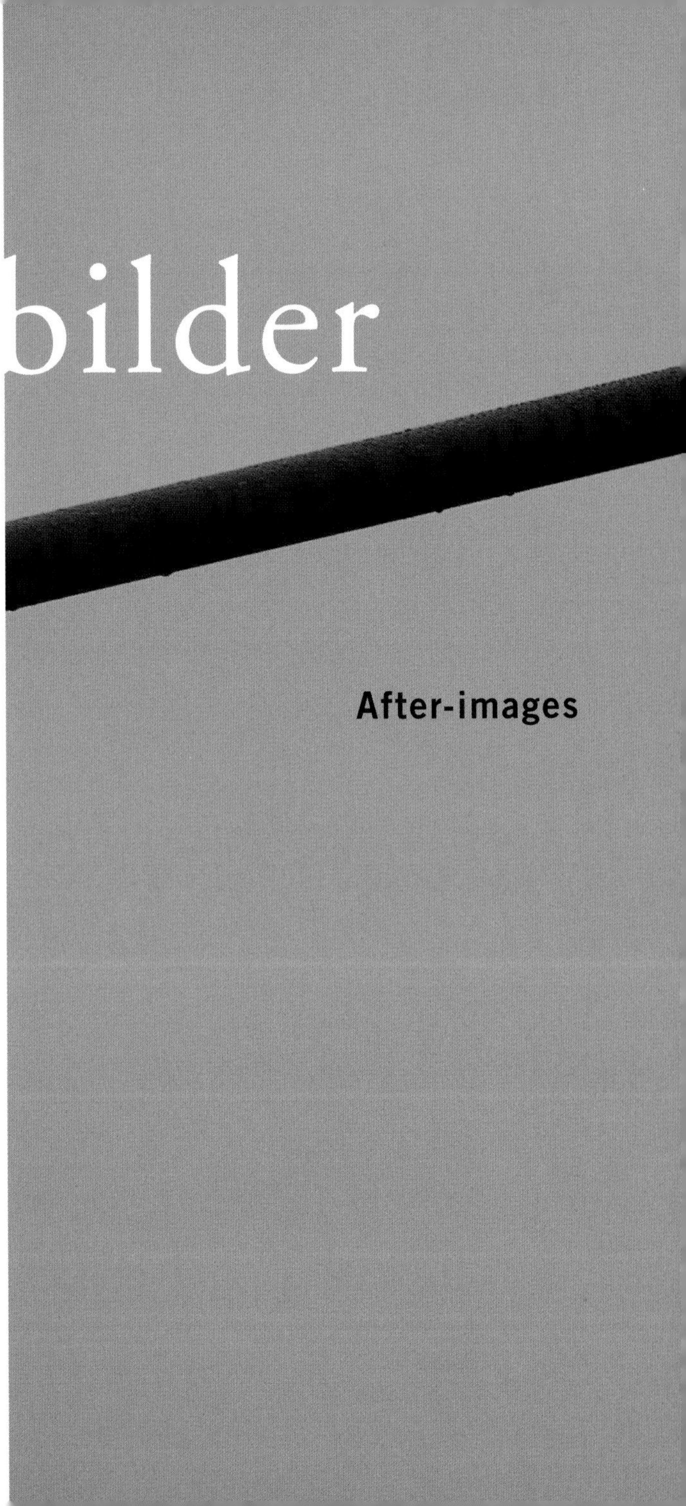

After-images

1995
«Etterbilder»
Granitt, galvanisert
og lakkert stål
vakumpresset
akryl og alltid
lysende lampe
Høyde 570 cm og 540 cm

1995
"After-images"
Granite, galvanised
and lacquered steel
vacuum-pressed acrylic
and an ever-burning lamp
Heights 570 cm and 540 cm

Inghild Karlsens todelte skulptur med dens skiftende betydninger er tatt fra hverdagslivet, og har utgangspunkt i gatelyktene som brukes i området. Denne lånte formen fra hverdagen er så blitt oversatt til steinens og skulpturens språk. Skulpturen er en lampe. Lyset blir usynlig i den nordlige sommerens lys, og synlig som lyskilde om vinteren når mørket tar over og det er vanskelig å skille mellom natt og dag. Lampen har fått sin form fra et kvinneansikt, fra et hvilket som helst kvinneansikt.

Skulpturene er plassert to ulike steder - den ene i sentrum av kommunen, i en liten park der lyktestolpen kaster sin skygge på marken omkring. Den andre er i et område som ligner verdens endepunkt, et fiskevær som ble fraflyttet utover på 60- og 70-tallet, og som delvis er ubebodd nå og utsatt for forfall. Her er skulpturen plassert ved havnebassenget blant de fraflyttede husene med sine klare og optimistiske, men slitte farger. Et ledd, en forbindelse, en kontaktlinje skapes mellom det som har vært, det som er, og det som kommer.

Inghild Karlsen's two-part sculpture with its shifting meanings is taken from everyday life and has its starting-point in the type of street lamp commonly used in the area. This shape borrowed from the everyday has then been translated into the language of stone and sculpture. The sculpture is a lamp, its constant light nearly invisible in the brightness of the northern summer, and highly visible as a source of light during the winter darkness, when it is hard to tell the difference between night and day. The lamp takes its shape from that of a woman's face, from any woman's face.

The sculptures have been sited in two different places – one is in the community's centre, in a little park where the lamppost casts its shadow onto the surrounding earth. The other is in an area that resembles the end of the world, a fishing community gradually abandoned during the 1960s and 1970s, now almost uninhabited and left to decay. Here, the sculpture has been placed beside a sea basin, amid the abandoned houses with their bright, optimistic but weather-beaten colours. A link, a connection, a line of contact is created between what has been, what is, and what is to be.

En ny samtale

A new discussion

Gjennomføringen av *Skulpturlandskap Nordland* hører fortiden til, ikke den fjerne fortid, men allikevel en tid som er passert. Gjenstandene står der som kunstverk i landskapene. I hele sin fylde påkaller de minner hos alle oss som har vært med på å virkeliggjøre kunstneren Anne Katrine Dolvens idé. En idé som i sin tid ble møtt med undring, latter, avvisning og tilslutning. Det skulle ta ti år å realisere tanken, unnfanget på et seminar på Vega, høsten 1988.

Allerede før den første skulpturen - *En ny samtale* av finske Kain Tapper - ble innviet av Dronning Sonja på Vega 19. august 1992, var et nytt samtaleemne på dagsorden i det langstrakte fylket Nordland. Kongeparet var på kroningsferd. Vi var alle blitt instruert i skikk og bruk. Dronningen hadde selvfølgelig Tapper ved sin side, og prosjektets kurator, Maaretta Jaukkuri, var naturlig nok tolk. Dronningen spurte meget interessert om kunstverkets navn. Spørsmålet ble oversatt til finsk, tolken svarte på finlandssvensk. Men Jaukkuri hever aldri stemmen. Dronningen var ikke i stand til å høre hva som ble sagt. Etter flere mislykkede forsøk trådte undertegnede til og sa med langsom høy røst, ord for ord, stakkato og artikulert: *«EN NY SAMTALE»*. Dronningen repeterte som et ekko: *«EN NY SAMTALE»*. Det var dette oppbyggingen av skulpturlandskap Nordland skulle komme til å handle om.

La oss begynne med begynnelsen: Fylkeskommunen arrangerte et seminar om kunstnernes levekår i Nordland, da Anne Katrine Dolven snudde det hele på hodet. Hun stilte spørsmål om hvordan det som i kunstens verden er periferi kunne bli sentrum ved å ta utgangspunkt i de spesifikke særtrekkene som kjennetegner stedet selv, i dette tilfelle Nordland med sin spredte bosetting og dramatiske

The work of bringing *Artscape Nordland* into existence belongs to the past, not to the remote past, but nevertheless to a time that has gone by. The objects stand there as artworks in the landscapes. In all their abundance they invoke memories in every one of us who was involved in making the artist Anne Katrine Dolven's idea a reality. An idea that in time became an encounter with wonder, laughter, rejection and engagement. It was to take ten years to realise this notion conceived at a seminar on the island of Vega in the autumn of 1988.

Already before the first sculpture - *A New Discussion* by the Finn Kain Tapper - was unveiled by Queen Sonja on Vega on August 19, 1992, there was a new topic of discussion on the day's agenda in the long, narrow county of Nordland. The royal couple were on their coronation tour. We had all been instructed in the proper etiquette. The Queen, of course, had Tapper at her side, and the project's curator, Maaretta Jaukkuri, naturally enough acted as interpreter. The Queen asked with great interest about the title of the artwork. The question was translated into Finnish, and the interpreter replied in Finnish-Swedish. But Jaukkuri never raises her voice. The Queen was unable to hear what was said. After several unsuccessful attempts the undersigned stepped in and said in a slow, loud voice, word for word, staccato and clearly articulated: *A NEW DISCUSSION.* The Queen repeated this like an echo: *A NEW DISCUSSION.* It was this that setting up Artscape Nordland was to be about.

Let us begin at the beginning: the county had arranged a seminar about the conditions for artists in Nordland, when Anne Katrine Dolven turned the whole thing on its head. She posed the question of whether the periphery of the artworld could become a centre by taking its starting point in the specific features that characterise the place itself, in this case Nordland with its scattered settlements and dramatic nature. The county is one of the world's

natur. Fylket tilhører en av verdens utkanter og er plassert på breddegrader som innebærer at deler av året er uten natt. Siden havet bryter inn i alle fylkets kommuner med ett unntak, er horisonten lav. Himmel møter hav, og det «rommet» som naturen skaper kan oppleves som nærmest tomt til tross for de store fjellmassivene. Det finnes unntak innerst i fjordene, men Nordland er smalt, det strekker seg så det nesten brister. Gjennom å tenke hver av de 45 Nordlandskommunene som hjemsted for et kunstverk, kunne et nytt sentrum skapes, mente Dolven. Samlet skulle kunstverkene utgjøre en kunstsamling. Kunstnere fra hele verden skulle inviteres til å delta i prosjektet, og på den måten ville Nordland og Norge erverve seg en internasjonal kunstsamling basert på de kvalitetene som ligger i landskapet.

Det eksisterer lange historiske linjer i Nordlandskystens kommunikasjon med omverdenen. Livsgrunnlaget har gjennom tidene vært ensidig basert på fiskeri, og derfor har kommunikasjon og varebytte med omverdenen vært en dyd av nødvendighet. Vikingetuftene på Borg i Lofoten vitner om kontakt og handel med kontinentet, ja sågar med Konstatinopel. En av de første kjente norske beretninger, *«Ottars beretning»*, som ble nedtegnet hos kong Alfred den store på slutten av 800-tallet i England, er en beskrivelse av næringsgrunnlaget i Nord-Norge. Hanseatene i Bergen baserte sin handelsvirksomhet på vareleveranse fra nord. En av de første folkelivsbeskrivelsene er å finne i arkivene i Venezia, nedtegnet av den italienske handelsborgeren Querini etter et skipsbrudd som endte på Røst i Lofoten i 1432. Ideen om et skulpturlandskap i Nordland stod sånn sett i en lang tradisjon hva dialog mellom kulturerer og kontinenter angår.

Utgangspunktet var at kunstneren skulle velge sted,

fringe areas, and is situated between latitudes that mean that, for part of the year, there is no night. Since, with one exception, the sea encroaches on all the municipalities in the county, the horizon is low. Sky meets sea, and the 'space' created by nature can be experienced as virtually empty despite the great masses of the fells. There are exceptions deep in the fjords, but Nordland is narrow, and stretched almost to breaking point. Dolven's idea was that, by thinking of each of the 45 municipalities in Nordland as the home of an artwork, a new centre could be created. Taken together, the artworks would form an art collection. Artists from all over the world would be invited to join in the project, and in that way Nordland and Norway would acquire an international art collection that is founded on qualities inherent in the landscape.

The Nordland coast's links with the outside world reach far back into history. Throughout the ages, making a living there has been almost solely reliant on fishing, and thus communication and exchange of goods with the outside world have become a virtue born out of necessity. The Viking sites at Borg in the Lofoten islands bear witness to contacts and trade with the continent, and indeed even with Constantinople. One of the first-known Norwegian tales, *"Ottar's tale"*, which was committed to paper at the court of King Alfred the Great in England at the end of the 9th century, is a description of the means of livelihood in Northern Norway. The Hanseatic League's merchants in Bergen based their trading activities on supplies of goods from the North. One of the first descriptions of folk life can be found in the archives in Venice, as recorded by the Italian citizen merchant Querini after a shipwreck that ended on the island of Røst in the Lofotens in 1432. Seen in this light, the idea for a sculpture landscape in Nordland formed part of a long tradition of dialogue between cultures and continents.

The point of departure was that each artist was to

Hai-Ku-Badekar

Shark-Cow-Bathtub

Dorothy Cross

Himmel på jord

Heaven on Earth

Inge Mahn

selvfølgelig i overensstemmelse med kommunen. Stedsvalg skulle imidlertid i noen tilfeller vise seg å bli komplisert. Det var ikke alltid kunstneren kunne få det som han ville. Noen ganger var det grunneierforhold eller tilgjengelighet som kompliserte stedsvalg. Andre ganger oppsto det problemer fordi kommunen rett og slett ikke ville ha verket der kunstneren ønsket det. Forestillingen om kunst der folk ferdes og ideen om kunst i landskapet, var i visse tilfeller uforenelig. I ett tilfelle trosset jeg personlig den politiske makt i et lite samfunn. Kunstneren var kompromissløs. Det ble som han ville eller ingenting. Men i de fleste tilfellene hvor denne type brytninger oppsto, var det kunstneren som ga seg. Kunstneren firte på sitt kunstneriske konsept ved omarbeidelser eller nye forslag. Og her er vi ved et dilemma, eller snarere et paradoks: *Skulpturlandskap Nordland* er oppdragskunst. Kunstnerne har skapt sine verk på bakgrunn av en intendert mening fra oppdragsgiverens side. På den annen side kan kunst aldri bli demokratisk i den forstand at oppdragsgiveren kan bestemme hvordan kunstverket skal utformes.

Etter at Raffael Rheinsberg hadde vært på sitt første besøk i Andøy ble folk bekymret da de kunne lese i avisen at kunstneren ville dekorere et av de mest markante byggene på Andenes, fyret. Rheinsberg hadde formidlet en tanke som ble fremstilt som et prosjekt. Dette mønsteret skulle stadig komme til å gjenta seg. Kunstnerne fortsatte å komme. Alle ble de portrettert i lokalavisen, samtidig som kommunene diskuterte hvorvidt de skulle delta. I avisenes innringerspalter og blant leserinnleggene var det ikke få spørsmål til ordførere som hadde gitt sitt ja til deltagelse. Stort sett var det motstanderne som grep ordet. Det var langt mellom kritikerne og

choose a site; in agreement with the municipality, of course. In some cases, however, the choice of site was to prove complicated. It was not always possible for the artists to get what they wanted. In some instances, it was the ownership of the land or its accessibility that complicated the choice of site. On other occasions, problems arose because the municipality quite simply did not want to put the work where the artist wanted it. In some cases, the notion of art to which people travel and the idea of art in the landscape were incompatible. In one instance, I personally came up against the political power in a small community. The artist was not prepared to compromise. It was to be as he wanted it, or nothing. But in most cases where such conflicts arose, it was the artist who gave way. The artist eased up on his or her artistic concept via revisions or new proposals. And here we come to a dilemma, or rather a paradox: *Artscape Nordland* is commissioned art. The artists have created their works against a background of a clear intention from the commissioning body. On the other hand, art can never be democratic in the sense that the commissioning body could decide what the artwork is to look like.

After Raffael Rheinsberg had made his first visit to Andøy island, people were worried, since they could read in the papers that the artist wanted to decorate one of the most prominent buildings on Andenes, the lighthouse. Rheinsberg had voiced a thought that had then been presented as a project. This pattern was to be repeated constantly. The artists continued to arrive. Profiles of all of them appeared in the local press, at the same time as the municipalities discussed the extent of their involvement. In the newspapers' phone-in columns and in readers' letters there were quite a few questions put to local council leaders who had said yes to participation. Overall, it was the opposition who held the floor. It was a long way from these critics to Director Dieter Honisch of the Neue National-

Intro

direktør Dieter Honisch ved Nasjonalgalleriet i Berlin, som hevdet at skulpturprosjektet var *«det mest interessante i verden akkurat nå.»*

Først i juni 1992 fattet Nordland fylkesting sitt endelige vedtak etter lang tautrekning. Allerede i august samme år var den første skulpturen på plass. Dialogene og debatten fortsatte, og finansieringsløpet ble ikke mindre etter at kunstnerne hadde vært på besøk og de konkrete planutkastene forelå. I ettertid er det lett å se at det selvfølgelig burde vært definert eksakte økonomiske rammer for både kunstnerne og kommunene. Da Antony Gormley kom til Rana fikk han beskjed om at kommunen ville ha noe stort. Folk syntes ikke en ti meter høy skulptur var stor nok, samtidig bølget diskusjonen om utgiftene til skulpturen. Lødingen Steinindustri, som stod som produsent av mange av steinskulpturene, ble presset og presset på prisen, for fylkeskommunen hadde ikke pengene.

Ingen ante på forhånd hva det skulle komme til å kreve å holde styr på så mange aktører, så mange uforutsette problemer. Det var et umenneskelig kjør mot prosjektleder Margrete Gunnes som til daglig skulle håndtere disse konfliktene og helst være ti steder på en gang. Uten en stor porsjon humor hadde det ikke gått. Jeg kan ikke glemme da hun i 91 returnerte fra New York med detaljerte beskrivelser av hvordan hun og Serra hadde sittet i samtale over kartblader som viste Norge, Nordland og Lofoten på stuegulvet på Manhattan. Serra ville komme. Men hvordan i all verden skulle de demokratiske spillereglene som var basisen i dette prosjektet ta høyde for uoverensstemmelsen mellom en sendrektig saksgang i en konfliktfylt sak og en entusiasme for prosjektet der og da fra en ettertraktet kunstners side. Hans deltagelse kokte bort med tiden.

gallerie in Berlin, who said that the sculpture project was *"the most interesting in the world right now."*

It was not until June 1992 that, after a long tug of war, the county of Nordland's fylkesting (parliament) finally passed its assenting resolution. In August of that same year, the first sculpture was already in place. The dialogues and debates continued, and nor did the scramble for funding abate after the artists had made their visits and the concrete proposals had been submitted. In retrospect, it is easy to see that there should self-evidently have been a defined, precise economic framework for both the artists and the municipalities. When Antony Gormley came to Rana, he was told that the municipality wanted something big. People did not think a ten-metre-high sculpture was big enough, while at the same time, the discussion about paying for the sculpture became more heated. Lødingen Steinindustri, the firm that was producing many of the stone sculptures, was pressured and pressured over the price, since the county's municipalities did not have the money.

Nobody had any idea in advance what it would take to cope with so many parties, and so many unforeseen problems. The leader of the project, Margrete Gunnes, came under superhuman pressure, having to deal with these conflicts on a daily basis, and preferably be in ten places at once. Without a large measure of humour, this would not have been possible. I will never forget when she returned from New York in 1991, with detailed descriptions of how she and Richard Serra had sat in conversation with maps of Norway, Nordland and the Lofotens spread across his living-room floor in Manhattan. Serra wanted to come. But how on earth would the democratic ground rules that underpinned the project cope with the incompatibility between slow official progress in addressing an issue in a conflict-filled case and the enthusiasm for the project felt there and then by a much-

Media Thule

Media Thule

Olafur Gislason

Uten tittel

Untitled

Dan Graham

Hvor fikk kunstnerne sine ideer fra? De to ideene som vakte størst engasjement var Erik Dietmans Land-art prosjekt i Brønnøysund og Jan Håfstrøms byggverk i Gildeskål. Håfstrøms kunstneriske konsept bestod i å bygge ruiner på Sundsfjordfjellet, under tittelen *Den glömda staden,* med referanser til en utbombet kurdisk landsby. Den skulle strekke seg over et område på 3-4000 m² og ble kostnadsberegnet til om lag kr. 3.2 mill. Sundsfjordfjellet er et yndet utfartssted for Gildeskålværingene, og ideen førte til presseskriverier og folkemøter. Selv prøvde Håfstrøm å presentere sine tanker: *«Den glömda staden» er en symbolsk forflytning av et landskap, en forflytning i tid, rom og historie. Et ladd symbol i vestlig kultur. At ruinen er en bekreftelse på menneskets ydmykhet overfor den mektige naturen, og at den inneholder følelser. Masse følelser.»* Jan Håfstrøm omarbeidet konseptet, og debatten fortsatte. Fire år senere, sommeren 1996, ble *Den glömda staden* åpnet i forminsket utgave, 400m², og et annet og mer tilgjengelig sted. Mange kaller i dag plassen mytisk.

Erik Dietman ville sprenge Mofjellet ved Tilrem i Brønnøysund for å tydeliggjøre henvisningene til Midgardsormen og Loke, som noen må ha fortalt ham om. Avisene karikerte ideen, og ikke bare lokalbefolkningen, men selv svenske riksaviser var indignert over denne såkalte vandalisme det er å gripe inn og omforme naturen selv. *Skulpturlandskap Nordland* ble på et tidspunkt behandlet bak lukkede dører i Brønnøysund formannskap, og i dag ligger *Steinar Breiflabb* i havnebassenget som et resultat av samarbeidet mellom kunstner, kommune, fylkeskommune og havnevesen.

Skulpturene ble bygget i løpet av perioden 1992-98. Det tok dobbelt så lang tid som forutsatt. 13 kommuner valgte etter hvert å ikke delta i prosjektet.

sought-after artist. In the end, his planned participation came to nothing.

Where did the artists get their ideas from? The ideas that inspired the greatest public involvement were Erik Dietman's land-art project in Brønnøysund and Jan Håfstrøm's construction in Gildeskål. Håfstrøm's artistic concept consisted of building ruins at Sundsfjordfjell, under the title *The Forgotten Town,* in a reference to a bombed-out Kurdish village. This was to cover an area of 3-4000 m² and was estimated to cost about NKR 3.2 million. Sundsfjordfjell is a favourite excursion spot for the people of Gildeskål, and the idea prompted writings in the press and public meetings. Håfstrøm tried to present his idea himself: *"The Forgotten Town is a symbolic displacement of a landscape, a displacement in time, space and history. A charged symbol in western culture. The ruin is an affirmation of human insignificance in the face of the vastness of nature, and it contains feelings. A mass of feelings."* Jan Håfstrøm revised his concept, and the debate continued. Four years later, in the summer of 1996, *The Forgotten Town* was inaugurated on a reduced scale, 400 m², and on another, more accessible site. Today, many say the site is a mythical one.

Erik Dietman wanted to blow up part of Mofjell at Tilrem near Brønnøysund to make explicit the references to the Serpent of Midgard and Loke, which someone must have known and told him about. The newspapers caricatured the idea, and it was not just the local population, but even the Swedish national papers were indignant about the so-called act of vandalism of infringing on and reshaping nature itself. At one point, *Artscape Nordland* was discussed behind closed doors by Brønnøysund council, and today *Steinar Breiflabb* stands in the seaward approach to Brønnøysund as a result of the cooperation between artist, municipality, county council and port authority.

The sculptures were built over the period 1992-98. It

Skulpturlandskap Nordland endte opp som en kunstsamling bestående av 33 kunstverk spredt i et landskap på omlag 40 000 km². Hver eneste skulptur stilte krav til ulike tekniske løsninger. I utgangspunktet var det kommunene som var ansvarlige for produksjonen av verkene, men i de mest kompliserte tilfellene ble ansvaret pulverisert. Fylkeskommunen måtte ta ansvaret, også når ting gikk galt. Det gikk svært galt i to tilfeller, med Toshikatsu Endos *Epitaph* i Flakstad og Sarkis' *Dager og netter* i Hadsel. Begge verkene måtte fjernes og bygges opp på nytt fordi de tekniske løsningene var utilfredsstillende. Hadde vi hatt teknisk kompetanse knyttet til prosjektet fra første stund, kunne vi antakelig ha unngått denne typer problemer, som kostet i mange henseende. Den kontinuerlige kampen mot økonomiske utgifter har i noen tilfeller overskygget de gode løsningene. Hele tiden har kunstnerne vært enestående med hensyn til å akseptere utsettelser, omarbeidelser og i visse tilfeller kompromisser.

Det finnes også de problemfrie fortellingene. I Leirfjord ble Waltercio Caldas' skulptur *Omkring* produsert på låven hos Arne Meisfjordskar. Vennskap og forståelse ble etablert mellom en kunstner fra Brasil og en ingeniør og sauebonde fra Norge. Da de to sammen reiste på Samvirkelaget på Liland for å kjøpe maling til skulpturen gikk Caldas rett i hylla og hentet ut lilla farge. Nordmannen stilte seg undrende til dette valget. «Det er fargen på ditt land», var Caldas' entydige svar. *Omkring* har lært meg å se fargen på mitt eget land, i de fleste lys er bjørka lilla når den ikke er grønn, den kler store deler av Norge.

Kanskje er det slik at rikdommen som møtene og brytningene *Skulpturlandskap Nordland* har skapt, best lar seg beskrive gjennom avdukningsse-

took twice as long as was anticipated. Thirteen municipalities eventually chose not to participate in the project. *Artscape Nordland* ended up being an art collection consisting of 33 artworks dispersed over a landscape of about 40 000 km². Each individual sculpture demanded a variety of technical solutions. Initially, it was the municipalities that were responsible for the production of the works, but in the most complicated cases that responsibility was passed on to the county. The county council also had to take the responsibility when things went wrong. And they did go badly wrong on two occasions, with Toshikatsu Endo's *Epitaph* in Flakstad and Sarkis' *Days and Nights* in Hadsel. Both works had to be removed and rebuilt because the technical approach used was unsatisfactory. If we had had skilled technical support for the project from the outset, we would presumably have been able to avoid these sorts of problems, which were costly in numerous ways. The continual struggle to avoid economic expense has in some cases overshadowed the need for a good solution. Throughout the whole process, the artists have been marvellous about accepting delays, revisions, and in some case compromises.

There are also problem-free stories here. In Leirfjord, Waltercio Caldas' sculpture, *Around,* was produced in the barn belonging to Arne Meisfjordskar. Friendship and understanding were established between an artist from Brazil and an engineer and sheep farmer from Norway. When the two made the journey together to the co-operative store at Liland to buy paint for the sculpture, Caldas went straight to the shelves and took down the mauve paint. The Norwegian was astonished at this choice. *"It is the colour of your country",* was Caldas' unequivocal response. *Around* has taught me to see the colours of my own land: in most lights birches are mauve when they are not green, this is the garb worn by large areas of Norway.

It may well be that the richness that the comings

remoniene i de ulike kommunene. Med noen få unntak var det seremonier med forholdsvis få folk, fra femti til noen hundre. I Bodø var det flere enn tusen da Tony Craggs *Uten tittel* i 1993 ble åpnet av den norske og den russiske utenriksminister. En sommerdag samme år erklærte direktøren på Samtidskunstmuseet, Jan Brockmann *Opus for himmel og jord* i Vevelstad for innviet i strålende sol, grønt gress og flagget til topps på alle flaggstenger i kommunen med om lag 600 innbyggere. I bergsiden, med utsikt over Helgelandskysten, var ung og gammel samlet for å skue arbeidet som på folkemunnet fikk navnet *Himmelhvelvet.* Ungene tok raskt den blankpolerte flaten i bruk som rutsjebane. Under åpningen av *Varde* av Per Kirkeby i Meløy kom plutselig en av naboene til skulpturen. Hun hadde fulgt arbeidet fra kjøkkenvinduet, og ville fremføre sitt eget dikt i anledning dagen. Da Per Borten, en dag høstfargene gjorde verden rød, åpnet Kari Cavens *I dag, i morgen, alltid* i Beiarn, var han ikke beskjeden på kunstens og *Skulpturlandskap Nordlands* vegne. Han sammenlignet kostnadene til prosjektet med hva det koster å få F16- flyene i lufta over Bodø. I Tjeldsund, på Myklebostad med sine om lag 85 mennesker, ble Olafur Gislasons *Media Thule* en realitet takket være grendas folk med familien Pettersen i spissen. Da vi ankom åpningen var vi sikre på at vi var kommet feil. Det var telt, biler, folk og dyr over alt. En kulturfest skulle finne sted. Åpningsseremonien var bare en del av det hele.

Seremoniene har alle hatt sin egen klang, bestemt av stedet og menneskene der. Møter er blitt til minner som kan hentes frem. Men like lite som vi kommer tilbake til åpningsseremoniene - like lite kommer vi tilbake til den samme skulpturen, og

together and conflicts to which *Artscape Nordland* has given rise can best be described by the unveiling ceremonies in the various municipalities. With a few exceptions, there were few people present on these occasions, from fifty to a few hundreds. In Bodø there were more than a thousand people there in 1993, when Tony Cragg's *Untitled* was inaugurated by the Norwegian and Russian foreign ministers. On a summer's day in that same year, the Director of The National Museum of Contemporary Art, Jan Brockmann, declared *Opus for Heaven and Earth* in Vevelstad open, amid brilliant sunshine, green grass and flags raised on all the flagpoles in this municipality of 600 inhabitants. On the mountainside, with its view of the Helgeland coast, both young and old were assembled to behold the work, which in local parlance was referred to as *Vault of Heaven.* The younger ones soon adopted the smooth-polished surface as a slide. During the opening of *Beacon* by Per Kirkeby in Meløy, a neighbour suddenly approached the sculpture. She had watched the work from her kitchen window, and wanted to recite her own poem in honour of the occasion. When Per Borten opened Kari Cavén's *Today, Tomorrow, Forever* in Beiarn, on a day when the autumn colours turned the world to red, he was not over-modest about the art or about *Artscape Nordland.* He compared the cost of the project with what it costs for an F16 fighter-bomber to fly over Bodø. In Tjeldsund, at Myklebostad with its approximately 85 inhabitants, Olafur Gislason's *Media Thule* became a reality thanks to the people of the settlement, with the Pettersen family at their head. When we arrived for the opening, we were sure we had made a mistake. There were tents, cars, people and animals everywhere. There was a culture festival going on. The opening ceremony was only a part of the whole event.

The ceremonies have all taken on their own tone, determined by the place and the people there. Meetings

like lite er vi selv den samme. Tiden arbeider i oss og i landskapet, og former skulpturene på nytt og på nytt. Det er den forandringen som bekrefter liv.

Er det skapt samtidskunst av internasjonal betydning i Nordland?

I den verden vi befinner oss i, gis alt verdi avhengig av målbare størrelser. Verdien kan måles i den oppmerksomhet som kommer noe til del gjennom publisitet i ulike medier. En annen indikator kan være antall besøkende til kunstverkene, eller verkenes verdi kroner og øre. Hva så med kunstverkets dialog med den enkelte betrakter? Vi vet at en slik faktor aldri kan måles. Den er ikke derfor uten gyldighet. I møtet med verkene i *Skulpturlandskap Nordland* har jeg ofte opplevd at de rasjonelle målbare størrelsene blir overskredet. I en ny samtale.

Aaslaug Vaa,
Fylkeskultursjef i Nordland

have become memories that we can draw on. But as little as we can go back to the opening ceremonies - equally little do we return to the same sculpture, and equally little are we ourselves the same. Time works in us and in the landscape, reshaping the sculptures again and again. It is this transformation that ensures life.

Has contemporary art of international significance been created in Nordland?

In the world in which we live, all ascribed value derives from measurable units. Value can be measured in terms of the attention paid via publicity in various media. Another indicator can be the number of visitors to the artworks, or their value in kroner. But what about the dialogue between the artwork and the individual viewer? We know that such a factor can never be measured. That does not make it irrelevant. In the coming together of the works in *Artscape Nordland,* I have frequently found that rational, measurable units are transcended. In a new discussion.

Aaslaug Vaa,
Nordland County Head of Cultural Affairs

Hode

Head

Markus Raetz

Martti Aiha
Født/Born: 1952 Pudasjärvi, Finland
Studier/Studies: 1970-72 Konstindustriella läroverket, 1972-76 Finlands konstakademis skola.
Bor og arbeider/Place of residence: Helsingfors.

Per Barclay
Født/Born: 1955 Oslo, Norge.
Studier/Studies: 1979-81 Instituto Statale d'Arte di Firenze, 1981-83. Accademia di Belle Arte, Bologna, 1984-85 Accademia di Belle Arte, Roma.
Bor og arbeider/Place of residence: Paris, Frankrike.

Bård Breivik
Født/Born: 1948 Bergen, Norge.
Studier/Studies: 1965-67 Manger Folkehøyskole, 1967-70 Bergen. Kunsthåndverksskole, 1970-71 St. Martin's School of Art, London.
Bor og arbeider/Place of residence: Oslo, Norge.

Waltercio Caldas
Født/Born: 1946 Rio de Janeiro, Brasil.
Studier/Studies: Ivan Serpa
Bor og arbeider/Place of residence: Rio de Janeiro, Brasil.

Kari Cavén
Født/Born: 1954 Savonlinna, Finland
Studier/Studies: 1977-78 Konstindustriella högskolan, 1978-82 Finlands konstakademis skola.
Bor og arbeider/Place of residence: Helsingfors, Finland.

Steinar Christensen
Født/Born: 1946 Kristiansund, Norge
1970 Vestlandets kunstakademi, Bergen
Bor og arbeider/Place of residence: Son, Norge.

Tony Cragg
Född/Born: 1949 Liverpool, England
Studier/Studies: 1969-70 Gloucester College of Art, Cheltenham, 1970-73 Wimledon School of Art, 1973-77 Royal College of Art.
Bor og arbeider/Place of residence: Wuppertal, Tyskland.

Dorothy Cross
Født/Born: 1956 Cork, Irland
Studier/Studies: 1973-74 Crawford Municipal School of Art, Cork, 1974-77 Leicester Polytechnic, England, 1976 Gerrit Rietveld Akademi, Amsterdam, Holland, 1978-79, 1980-82 San Francisco Art Institute, USA.
Bor og arbeider/Place of residence: Dublin, Irland.

Erik Dietman
Født/Born: 1937 Jönköping, Sverige
Bor og arbeider/Place of residence: Ferrieres la Selle sur le Bied, Frankrike

Toshikatsu Endo
Født/Born 1950 Takayama, prefekturen Gifu, Japan.
Studier/Studies: 1972 akademiet i Nagoya.
Bor og arbeider/Place of residence: Saitama-ken, Japan.

Luciano Fabro
Født/Born: 1936 Torino, Italien
Bor og arbeider/Place of residence: Milano, Italia.

Hreinn Fridfinnsson
Født/Born: 1943 Dölum, Island
Studier/Studies: 1958-60 Myndlista- og handídaskóli Íslands.
Bor og arbeider/Place of residence: Amsterdam, Holland

Ólafur Gíslason
Født/Born: 1962 Reykjavik, Island
Studier/Studies: 1980-83 Myndlista- og handidaskóli Íslands, 1983-88 Hochschule für bildende Künste, Hamburg.
Bor og arbeider/Place of residence: Hamburg, Tyskland.

Antony Gormley
Født/Born: 1950 London, England
Studier/Studies: 1973-74 Central School of Art and Design, 1974-77 Goldsmiths' College, University of London, 1977-79 Slade School of Art, London.
Bor og arbeider/Place of residence: London, England.

Dan Graham
Født/Born: 1942 Urbana, Illinois, USA
Bor og arbeider/Place of residence: New York, USA.

Kristján Gudmundsson
Født/Born: 1941 Snaefellsnes, Island
Bor og arbeider/Place of residence: Reykjavik, Island.

Sigurdur Gudmundsson
Født/Born: 1942 Reykjavik, Island
Studier/Studies: 1960-63 Myndlista- og handídaskóli, Reykjavik, 1963-64 Academie'63, Haarlem, Nederalnd.
Bor og arbeider/Place of residence: Amsterdam, Nederland.

Hulda Hákon
Født/Born: 1956 Island
Studier/Studies: 1977-81 Myndlista- og handídaskóli Íslands, 1983 School of Visual Arts, New York.
Bor og arbeider/Place of residence: Reykjavik, Island.

Jan Håfström
Født/Born: 1937 Vallentuna, Sverige
Studier/Studies: 1963-68 Kungliga Konsthögskolan, Stockholm.
Bor og arbeider/Place of residence: Stockholm, Sverige.

Oddvar I.N.
Født/Born: 1953 Bø, Vesterålen
Studier/Studies: 1977-81 Kunstakademiet i Trondheim, 982-84 Jan van Eyck Akademi, Maastricht.
Bor og arbeider/Places of residence: Trondheim og Vega, Norge.

Cristina Iglesias
Født/Born: 1956 San Sebastian, Spania.
Studier/Studies: I Spania og Slade School of Art, London -1982.
Bor og arbeider/Place of residence: Madrid, Spania.

Anish Kapoor
Født/Born: 1954 Bombay, India.
Studier/Studies: 1973-77 Hornsey College of Art, 1977-78 Chelsea College of Art, London.
Bor og arbeider/Place of residence: London, England.

Inghild Karlsen
Født/Born: 1952 Tromsø
Studier/Studies: 1972-74 Statens håndverks- og kunstindustriskole, 1976-81 Vestlandets kunstakademi, Bergen, 1981-82 Konsthögskolan, Stockholm.
Bor og arbeider/Place of residence: Oslo, Norway.

Per Kirkeby
Født/Born: 1938 København, Danmark
Bor og arbeider/Places of residence: København, Danmark og Karlsruhe, Tyskland.

Inge Mahn
Født/Born 1943 Teschen (Oberschlesien), Tyskland.
Studier/Studies: 1964-71 Staatlichen Kunstakademie, Düsseldorf, 1970-71 Meisteschülerin hos Joseph Beuys.
Bor og arbeider/Place of residence: Berlin, Tyskland.

Bjørn Nørgaard
Født/Born: 1947 København, Danmark
Bor og arbeider/Place of residence: København.

Kjell Erik Killi Olsen
Født/Born 1952 Trondheim.
Studier/Studies: 1973-75 Kunstskolen i Trondheim, 1975-78 Statens lærerskole i forming, Oslo, 1975-78 Kunstakademiet Pieknych, Krakov, Polen, 1979-81 Statens Kunstakademi, Oslo.
Bor og arbeider/Place of residence: Oslo, Norway.

Markus Raetz
Født/Born: 1941 Büren an der Aare, Sveits.
Bor og arbeider/Place of residence: Bern, Sveits.

Raffael Rheinsberg
Født/Born: 1943 Kiel, Tyskland
Studier/Studies: 1973-79 Fachhochschule für Gestaltung,Kiel.
Bor og arbeider/Place of residence: Berlin, Tyskland.

Sarkis
Født/Born: 1938 Istanbul, Tyrkia.
Bor og arbeider/Place of residence: Paris, Frankrike.

Kain Tapper
Født/Born: 1930 Saarijärvi, Finland
Studier/Studies: 1952-64 Konstindustriella läroverket, 1955 Finlands konstakademis skola.
Bor og arbeider/Place of residence: Helsingfors, Finland.

Sissel Tolaas
Født/Born: 1959 Stavanger, Norge
Studier/Studies: 1980-85 Vestlandets Kunstakademi, Bergen, kunstakademier i Warzawa och Poznan, Kunstakademiet i Oslo.
Bor og arbeider/Place of residence: Berlin, Tyskland.

Gediminas Urbonas
Født/Born: 1966 Vilnius, Litauen
Studier/Studies: 1984-94 Kunstakademiet i Vilnius
Bor og arbeider/Place of residence: Vilnius, Litauen.